図解 でしっかりわかる!
小学生の理科
新装版

キッズ科学ラボ 著

楽しみながら
小学3〜6年の
要点を総まとめ

Mates-Publishing

CONTENTS

この本の使い方 ················· 4

地球編

No.1 太陽の光と気温
太陽と気温・湿度の関係にせまる! ····· 6
気温や湿度のメカニズム ············ 8

No.2 水の循環
私たちの暮らしに水は欠かせない ····· 10
地球上の水の97%は海にある ······· 12

No.3 雲と天気の変化
雲や天気のきまりを知ろう! ········· 14
雲のなりたちと天気の関係 ·········· 16

No.4 風と台風
風や台風の威力を実感! ············ 18
気圧が巻き起こす風 ··············· 20

No.5 天気の予想
天気予報の最新技術を紹介! ········· 22
日本上空の気圧は偏西風で東へ ······ 24

No.6 月の動きと特徴
月食と日食のひみつにせまる! ······· 26
地球の自転で変わる月の見え方 ······ 28

No.7 星
北半球と南半球で見える星座が違う ··· 30
地球の自転で星が動いて見える ······ 32

No.8 太陽の動き
太陽の正体が明らかに! ············ 34
太陽の動く速さは地球の自転の速さ ··· 36

No.9 流水のはたらき
水のパワーが大地を動かす! ········· 38
水によって土地がつくられる ········ 40

No.10 地層と化石
壮大な地層と化石のふしぎ! ········· 42
地層や化石で時代の謎がとける ······ 44

No.11 火山
地底のマグマが噴き出す! ··········· 46
火山の形はマグマでわかる ·········· 48

No.12 地震
地震や津波のしくみを知る! ········· 50
プレートのゆがみが地震を起こす ···· 52

No.13 生物と環境
人間の生活と環境を考える! ········· 54
生物には水と空気が必要 ············ 56

エネルギー編

No.1 光の性質
光の種類を見てみよう ············· 58
3つの法則がある光の進み方 ········ 60

No.2 振り子・ばね
振り子とばねを使った道具 ·········· 62
長さで変わる振り子と重さで変わるばね ··· 64

No.3 てこの原理とつりあい
「力点・支点・作用点」を見つけよう! ··· 66
3つの点のバランスが重要 ·········· 68

No.4 磁石
磁石のN極とS極の特性を使ったモーター ··· 70
電流によって変わる電磁石 ·········· 72

2

No.5 電池のしくみ
電池のつなぎ方で、電気の力が変わる ……74
電池は電気の発生装置 ……76

No.6 電気・電流
電気の大きさは電流と電圧で決まる ……78
電流と電圧の違い ……80

No.7 発電と電気の利用
発電所でつくられた電気の流れ ……82
電気をつくる、貯める、使う ……84

粒子編

No.1 ものの重さ・体積
同じ体積でも特性により使いわけられる ……86
ものには必ず重さと体積がある ……88

No.2 水と空気の性質
閉じ込めた空気と水の違い ……90
空気は縮みやすいが水はほとんど縮まない ……92

No.3 水の三態変化
自然の中で見る水の三態変化 ……94
水は3つに変化する ……96

No.4 水溶液
身近にある酸性とアルカリ性を探してみよう！ ……98
ものが水に溶けて水溶液になる ……100

No.5 燃焼のしくみ
酸素がないと熱くても燃えない？ ……102
酸素を使ってものは燃える ……104

生命編

No.1 昆虫
昆虫のすぐれた特徴を知ろう！ ……106
6本足は昆虫の証明！昆虫のつくり ……108

No.2 植物
注目！同じ植物でも花のスタイルはいろいろ ……110
発芽には水・空気・適当な温度が必要 ……112

No.3 植物の光合成
植物の光合成や呼吸が目で見える？ ……114
植物から酸素が生み出される光合成 ……116

No.4 季節の変化と生物
動物たちの冬のひみつが明らかに！ ……118
動植物には冬を過ごす工夫がある！ ……120

No.5 人間の体のつくり
人の体の内部を探検しよう！ ……122
すぐれた機能が体を支える ……124

No.6 体のはたらき
かくれた内臓のはたらきを知る！ ……126
生きるために必要な呼吸と消化 ……128

No.7 食物連鎖
生物はみんなつながって生きている！ ……130
食物連鎖のつながり ……132

No.8 せきつい動物と無せきつい動物
人間と動物たちの生命の誕生！ ……134
体のしくみによって動物を分類する ……136

Column
最年少気象予報士は11歳 ……138
宇宙旅行に出かけませんか？ ……139

さくいん ……140

※本書は2018年発行の『図解でしっかりわかる 小学生の理科 楽しみながら知識がひろがる』を元に内容の確認を行い、書名・装丁を変更して新たに発行したものです。

「この本の使い方」

★ 知的好奇心をそそる理科のフシギを紹介 ★

理科がもっと好きになる

「理科がもっと好きになる」は、身近な例を使って、テーマについて解説した導入ページです。理科が苦手な子供でも、楽しく興味をひく内容になっています。

① タイトル
② カテゴリー
③ 知ってる?! 理科のタネ

① タイトル
そのページで扱うテーマを表しています。

② カテゴリー
小学校で学ぶ理科を、地球編・エネルギー編・粒子編・生命編の4つに分けて紹介しています。

読む前にチェック！

この本では、それぞれ1つのテーマを4ページに渡って掘り下げています。前半の2ページではテーマを解説し、後半の2ページは理科で習う内容を紹介します。

★ 豊富な図解で学習内容のエッセンスがわかる ★

しくみがわかる

「しくみがわかる」のページは、小学校の理科で習う内容のまとめです。ポイントをしぼって、わかりやすく説明しています。これらを読み解くことで、理科の知識・学習内容の理解をより深めることができます。

❶ タイトル　　**❷ カテゴリー**

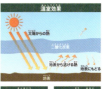

❹ わかる！POINT

❸ 知ってる?! 理科のタネ

知っているとためになる、面白い知識を紹介。テーマに対する理解が深まり、理科がもっと好きになります。

❹ わかる！POINT

テーマの内容を、簡単にまとめてあります。

5

No.1 太陽の光と気温❶

太陽と気温・湿度の関係にせまる！

温度計・湿度計・日時計を実際に見て、体験しましょう。

試してみよう！ 簡単湿度計

湿度計は、湿度を測るための道具です。簡単なしくみで湿度の変化がわかる手づくり湿度計で湿度の違いを見てみましょう。

用意するもの
・板　・セロハン　・アクリルボード
・ストロー　・画びょう
・セロハンテープ　・紙
・アルミ缶　2個　・油性カラーペン

❶ ストローのはじに、セロハンを細長く切ったものを貼りつけます。反対のはじに、紙でつくった矢印を貼ります。

❷ アルミ缶を2つ重ねて板に貼りつけます。ストローを画びょうでとめて、セロハンのはしを板に貼ります。

❸ アクリルボードを適当な大きさに切って、板に貼ります。

❹ 天気によってセロハンがどう動いたかをボードに書きこんで、湿度計のできあがり。湿度が高いとセロハンはのび、湿度が低いと縮みます。

その日の天気によって、セロハンがのび縮みするんじゃよ

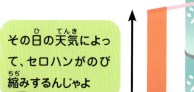

湿度の違いが簡単にわかるよ！

地球編

太陽の影が時計になる！

太陽の動きを利用した、日時計というものがあります。時間がたつにつれて影が動くことから、時計の針のかわりに使っているのです。

日本は地球の北半球に位置するので、日本で日時計をつくると影は右回りに動くんだ。

でも、もしオーストラリアなど南半球の国でつくると、日時計の影は左回りに動くのじゃ。

▲日時計
Photo/Ralf Lotys

影の位置で時間を確認！

❶箱に、中心を通るように縦と横の線を書きます。箱の上が南、左が東にくるように箱を置きます。その中心に、えんぴつをテープで貼りつけます。

❷えんぴつの影ができたところに、線と時間を書きます。

❸1時間ごとに、えんぴつの影を書きこんでいきます。

用意するもの
・紙の箱　・じょうぎ　・えんぴつ
・油性ペン　・セロハンテープ

❹朝から夕方まで、影を書いたら日時計の完成です。えんぴつの影のさすところが、その時の時間を表しています。

動く影で時間がわかるよ！

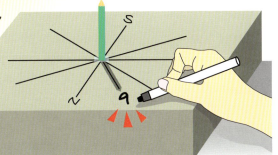

7

No.1 **太陽の光と気温❷**
しくみがわかる

詳しく知りたい！

気温や湿度のメカニズム

地球はどうやって暖められる？

晴れとくもりの気温の違い

同じ季節でも、天気が晴れかくもりかで1日の気温には違いがあります。

晴れの日では、1日のうちでも気温に変化があります。晴れの日は雲がかかっていないため、昼は日光によって暖められ、夜は熱が逃げていきます（放射冷却）。

それに対して、くもりや雨の日は、1日の気温変化が小さくなります。空を雲におおわれているため、昼間でも日光があまり届かず、夜のあいだに放射冷却が起こらないためです。

気温は、

① 風通しのよいところ　② 温度計に直接、太陽の光があたらないところ　③ 地面からの高さが1.2～1.5mぐらいのところ

で測ります。

気温の上がるしくみ

1日のうちで、太陽がもっとも高い位置にくるのが正午ごろ、地面の温度がもっとも暖かくなるのは午後1時ごろ、気温が最高になるのは午後2時ごろになります。これは太陽が地面を暖め、地面が空気を暖めるからです。

① 太陽の光によって地面が暖められる
② 地面の温度が上がる
③ 地面によって空気が暖められる
④ 空気の温度（気温）が上がる

わかる！POINT

気温の変化……晴れの日は変化が大きく、くもり・雨の日は変化が小さい

放射冷却……夜に雲が出ていないと地上の熱がより早く逃げ、気温が大きく下がること

湿度……空気中に含まれる水蒸気の量を表したもの

湿度の変化……晴れの日は昼と夜で変化が大きく、雨の日は1日中湿度が高い

地球編

空気の湿り気・湿度

空気の湿りぐあいを表すには、湿度という言葉を使います。湿度は、空気中に含まれる水蒸気の量を表したもので、

$$湿度(\%) = \frac{空気1m^3中に実際に含まれている水蒸気の量(g)}{そのときの気温で、空気1m^3中に含むことができる水蒸気の最大の量(g)} \times 100$$

という式でもとめます。

空気1m³中に含むことのできる水蒸気の最大の量

気温	0℃	5℃	10℃	15℃	20℃	25℃	30℃
水蒸気の最大の量	4.8g	6.8g	9.4g	12.8g	17.3g	23.0g	30.4g

天気と湿度の関係

晴れの日と雨の日では、湿度にも違いがあります。

晴れの日は、昼に気温が上がると湿度が低くなり、夜になって気温が下がると湿度が高くなります。雨の日では、1日中湿度が高くなります。

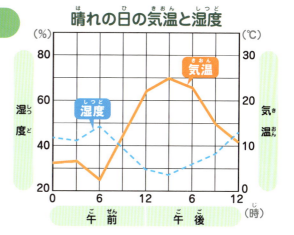

晴れの日の気温と湿度

実際に気温や湿度を測ろう

正確に気温や湿度を測るために、百葉箱が使われます。百葉箱は屋根つきの箱で温度計と湿度計が入っています。

▶百葉箱内部　　　　　▲百葉箱

No.2 水の循環❶

理科がもっと好きになる

ここからはじめよう!

私たちの暮らしに水は欠かせない

普段みなさんが飲んでいる水は、技術と工夫に支えられています。

きれいな飲み水のために

私たちは水道の蛇口から簡単に水を飲むことができます。きれいで安全な水が飲めるのは、浄水場で水をきれいにして私たちのもとへ送っているからです。

浄水場では、河川からとりこんだ水や地下水から不純物をとりのぞいて消毒し、上水道へ流しているんだよ

おいしい水のヒミツがここにあった!

浄水場のしくみ

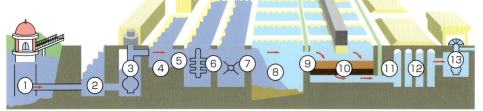

① 取水塔…水を取り入れるところ
② 沈砂池…大きな砂・土を沈めて取り除きます
③ ポンプ…着水井に原水をくみ上げます
④ 着水井…とり入れた水の水量や水位を調節します
⑤ 凝集剤注入設備…水に混ざった細かい砂・土を沈めるため、薬品を混ぜる設備
⑥ 薬品混和池…原水と凝集剤を混ぜます
⑦ フロック形成池…砂や土を沈みやすいかたまり（フロック）にします
⑧ 沈でん池…フロックを沈めるところ
⑨ 塩素注入設備…消毒のための塩素を入れる設備
⑩ ろ過池…砂や砂利に水を通して、きれいにします
⑪ 塩素注入設備…ろ過した水に塩素を入れ消毒します
⑫ 配水池…きれいになった水をためます
⑬ ポンプ…送水所へと水を送り出します

地球編

ミネラルウォーターって何？

現在はスーパーマーケットやお店で、飲み水が売られている光景が当たり前になりましたが、もともと日本の水道水は安全でおいしく、近年まで水を買って飲む人はほとんどいませんでした。

ミネラルウォーターは、飲み水として売られている中でも、地下水をもとにしているのじゃ。海外では水道の水が飲みにくく、じゅうぶん衛生状態にない場合もあるので、ミネラルウォーターの販売が一般的なんだ

▲ミネラルウォーター

日本とヨーロッパなどの海外では、水に含まれる成分の質が違います。日本の水のように、カルシウムやマグネシウムの量が少ない水を軟水、アメリカやヨーロッパの水のようにカルシウム・マグネシウムの量が多い水を硬水といいます。

▲水を飲む人

地下水のしくみ

地上に降った雨は、土にしみこんでしだいに深く地下へと流れていきます。そのあいだに、土や地層を通ってろ過され、自然にごみが取り除かれます。そして、きれいになって地下の水脈にたどりつきます。そのきれいになった水が、わき水になってわき出たり、井戸水としてくみ上げられたりしています。

土や地層は、天然のろ過装置なのね

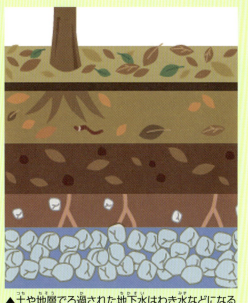

▲土や地層でろ過された地下水はわき水などになる

11

No.2 水の循環❷
しくみがわかる

詳しく知りたい！

地球上の水の97%は海にある
地球上をめぐる水の旅

地球を循環する水

私たち人間がどんなに使っても、地球の水が尽きることはありません。地球に存在する水は、図のように循環しています。

❶ 海や陸地から水が蒸発する

❷ 上空で雲になる

❸ 雨や雪になって、また海や陸地に戻ってくる

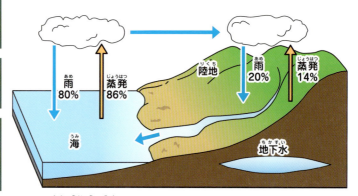

というサイクルです。このため、地球上の水はなくならないのです。

〈水の存在比較〉

貯水空間	貯水量（×10⁶km³）	全体に占める割合（%）
海洋	1370	97.25
氷河など	29	2.05
地下水	9.5	0.68
湖沼	0.125	0.01
土壌	0.065	0.005
大気中	0.013	0.001
河川	0.0017	0.0001
生物圏	0.0006	0.00004

地球の水は、いろんなところをめぐっているのね！

地球上の水の大部分（約97%）は、海に存在します。次に大きな割合を占めるのは氷河で、約2%ほど。ほかにも、さまざまなところに水がたくわえられています。

地球編

水と生物

水の一部は、生物によって利用されます。土にしみ込んだ水が植物の根から吸収され、茎から葉へと運ばれ、水蒸気として空気中に出されます。この場合も、空気を通して地球上の水の循環サイクルに戻っていきます。

また、動物も水を飲んで一時的に体内に吸収しますが、汗や尿の形で排出、ふたたび循環します。

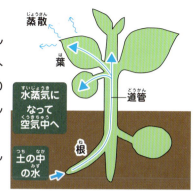

水の蒸発と結露

物質は、温度によって固体、液体、気体と姿を変えます。水は蒸発して、水蒸気になります。

また水は液体の状態にあるとき、温度が変わらなくても、表面から空気中へ少しずつ逃げています。こうして逃げた水蒸気は無色透明で目に見えませんが、空気中に存在できる水の量には限りがあるため、急に冷やされると水滴になって現れてきます。これが結露です。冷たい水の入ったコップの外側に水滴がついていたり、冬の暖かい部屋の窓ガラスがくもったりするのは、この結露が原因です。

▲無色の水蒸気

Photo/Markus Schweiss

わかる！POINT

- ●地球の水の大部分は海に存在する
- ●水は蒸発して水蒸気（気体）になる
- ●地球上の水は絶えず循環している
- ●結露…空気中の水蒸気が急に冷やされ、水滴になること

13

No.3 雲と天気の変化❶

理科がもっと好きになる

ここからはじめよう！

雲や天気のきまりを知ろう！

晴れやくもりの天気を判断するためには、きまりごとがあります。

天気のきまり

晴れの日や、くもりの空。どういう空がどういう天気なのかには、きちんとしたきまりがあります。

天気のきまりのなかで、代表的なものを紹介しよう

快晴

空全体を10と見て、雲の占める量が0〜1のとき。

Photo/Andrew A. Shenouda

晴れ

空に対して、雲の量が0〜8のとき。

Photo/Biswarup Ganguly

くもり

空に対して、雲の量が9〜10のとき。

Photo/Freepenguin

霧

霧（または氷霧）のため物の見える距離が1km未満の状態。

Photo/Florian K

かみなり

過去10分のうちに、かみなりが鳴ったり、いなびかりがした状態。

Photo/fdecomite

地球編

雲の種類いろいろ

雲は、高さやその形によって10種類に分けられます。

雲の種類は、こんなにたくさんあるんだよ

巻雲 高度5〜13km以上にある、すじ雲。

Photo/PiccoloNamek

巻積雲 高度5〜13km以上。うろこ雲。

Photo/唐山健志郎

巻層雲 高度5〜13km以上にある、うす雲。太陽や月にかぶさってかさになります。

Photo/Fir0002

高積雲 高度2〜7kmにあります。小さな雲が群れのように並ぶので、ひつじ雲ともいいます。

高層雲 おぼろ雲ともいい、ベールのように空をおおいます。高度2〜7km。

Photo/Simon

乱層雲 地面近くから高度2〜7km。いわゆる雨雲で、雨や雪を降らせます。

この雲が雨を降らせているよ!

Photo/PiccoloNamek

層積雲 地面付近〜高度2kmに見られ、くもり雲といわれます。

Photo/Thegreenj

層雲 地面付近〜高度2km。きり雲といわれ、霧の原因になります。

Photo/Simon

積雲 地面付近〜高度2km。晴れた日に見られる、わた雲です。

Photo/Brosen

積乱雲 地面付近〜高度2km。いわゆる入道雲。

Photo/Bidgee

夏によく見られる入道雲!もくもく大きいよ

15

No.3 雲と天気の変化❷

しくみがわかる

雲のなりたちと天気の関係

空に浮かぶ雲の正体とは？

詳しく知りたい！

雲のできるまで

雲は、小さな水や氷のつぶが集まってできたものです。元になっているのは、空気中にある水蒸気です。

空気は気温が高い時ほど多くの水蒸気を含むことができます。気温が下がって、空気の中に残っていられなくなった水蒸気は、水や氷になって外に出ていきます。地上の方が気温が高く、上空へいくと気温が下がるので空気中に含むことのできる水蒸気の量が少なくなります。

雲ができるために必要となるのが、上昇気流（上に向かって吹く風）です。上昇気流にのって空気が空に上がると、温度が下がり空気中に水分が出てきます。この水分に、空気の中の小さなちりなどが核となって、水滴や氷のつぶに変化します。これが雲の材料です。ひとつぶは小さいもので0.02mm、最大でも0.2mmほどで、この小さな水滴が集まって雲の形になるのです。

Photo/陳炬燵

ふわふわの雲は、氷のつぶのかたまりなんだ！

雲を見て天気を予測

天気を観察する上で、雲は重要なポイント。現在のように高度な気象予測の方法がなかった20世紀前半ごろまでは、雲の形や動きで天気を予測する「雲学」が活発だったそうです。気象衛星などの登場によって、残念ながらしだいに「雲学」の存在は薄れてしまったようです。

地球編

雨や雪はどうして降るの？

　雲は水滴が集まってできたもの。雲の中で、小さな水のつぶや氷のつぶがくっつき合い、どんどん大きくなります。すると、重くなって空に浮かんでいられなくなってきます。そして落ちてきたものが、雨です。

　日本で降る雨は、そのほとんどが雲の中にあるときは氷のつぶです。氷のつぶが大きくなって降る途中、溶けて水に変わります。ところが、冬の寒いときには、氷のつぶが溶けることなくそのまま降ってきます。これが雪になるのです。

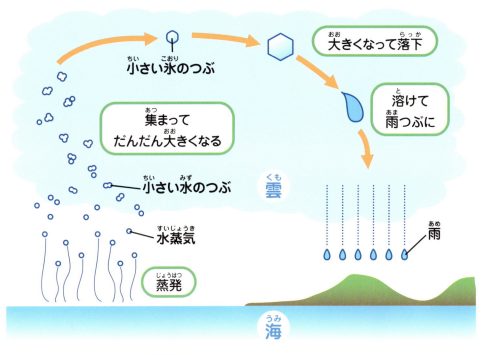

わかる！POINT

雲……………水や氷のつぶが集まってできたもの
水蒸気………気体になった水
上昇気流……上向きの空気の流れ

雨……………雲の凍った水が次第に大きなつぶになり、地上に落ちてくる。この時地上の気温によって溶けて液体になったもの
雪……………雲から落ちてくる氷のつぶが、冬の寒さにより溶けずにそのまま落ちてきたもの

17

No.4 **風と台風❶**

理科がもっと好きになる

ここからはじめよう!

風や台風の威力を実感!

風の速さや台風のしくみから、そのパワーがわかります。

熱帯低気圧ができるまで

❶海上で、発達した積乱雲がまとまり始めます。

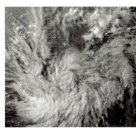

❷積乱雲が集まりながら渦を巻き、さらに周りの積乱雲を巻きこんでいきます。

❸中心に「目」が現れます。

これが台風の中心に現れる「目」だ!

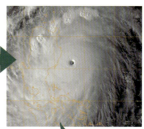

❹「目」がはっきりとして、勢いが最高に達します。

❺温帯低気圧に変わっていき、最後には消滅します。

地球編

風を表わす単位・風速

風速は、風が移動する速さ（1秒間に何m進むか）を表したものです。地上約10mの高さでの、10分間の平均の値を示します。

▶ 風車式の風速計。風向風速計ともいう

風速の平均図

NASAによって作成された、世界の風速の平均を色で表した図です。

色の濃度で風速がわかるようになっているよ

風速が遅い ……… 風速が速い
濃い ——— 薄い

日本を見てみると、1月よりも色が濃いじゃろう。つまり7月のほうが風速が遅いということじゃな

●1月の様子

●7月の様子

積乱雲と熱帯低気圧

ハリケーンは、大西洋や太平洋の地域で起こる熱帯低気圧。最大風速は約33m毎秒以上です。

Photo/Holek

今にも大雨が降ってきそう！

▲入道雲とも呼ばれる積乱雲。発達して、下の部分がまっ黒に

19

No.4 風と台風❷
しくみがわかる
気圧が巻き起こす風

詳しく知りたい！ 風や台風はどうやって起こるの？

風が吹くしくみ

地上に吹く風は、どういうしくみで起こっているのでしょう。

まず、私たちのまわりの空気にふれている全てのものには**気圧**という圧力がかかっています。表面を空気から押されているのです。気圧の高い方から低い方に向かって空気が押されていくので、風が起こります。

気圧の同じ地点を結んだ線を**等圧線**といい、天気図では4hPa（ヘクトパスカル：気圧の大きさを表わす単位）ごとに等圧線が引かれています。風は、天気図で見て等圧線がこみあっているところほど強くなります。

気圧と風の関係

高気圧のところでは、下降気流（下向きの空気の流れ）が起こります。このため、雲がなく良い天気になります。一方、低気圧のところは、上昇気流（上向きの空気の流れ）があるので雲ができ、天気は悪くなります。

また、高気圧では風が中心から外向きに吹き出しますが、北半球ではこの向きが時計回りです。低気圧では逆に、気圧の中心へと風が吹きます。

| 高気圧 | 等圧線が閉じていて、中心ほど気圧が高い | 低気圧 | 等圧線が閉じていて、中心ほど気圧が低い |

風が中心からふき出す（北半球では時計回り）　天気がよい　雲がない　中心付近に下降気流がある

風が中心にふきこむ（北半球では反時計回り）　天気が悪い　雲ができる　中心付近に上昇気流がある

地球編

海風と陸風の特徴

海風 海岸で、晴れた昼に、海から陸へと吹く風のこと。

陸風 海岸で、晴れの夜、陸から海へと吹く風のこと。

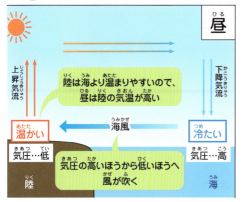

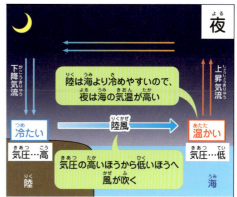

台風のしくみ

台風は、北太平洋に発生する熱帯低気圧のなかでも、最大風速毎秒17.2m以上のものをいいます。

台風の多くは、北半球からの貿易風と南半球からの貿易風の集まる、暖かい海域で発生します。ここで上昇気流が積乱雲をつくり、それが集まり発達して台風となるのです。猛烈に発達した台風の中心では、気圧が900hPa以下になることもあります。

ハリケーンやサイクロンも、熱帯低気圧の仲間です。それぞれ位置する海域によって、呼び方が異なります。

ハリケーンも台風も、低気圧の仲間なのね。すごい風のパワーね！

わかる！POINT

高気圧……下降気流が起こって、天気が良い
低気圧……上昇気流が起こって、雲ができる

気圧……空気がものを押す力（単位:hPa ヘクトパスカル）
等圧線……天気図などで、気圧が等しい場所を結んだ線

21

No.5 天気の予想❶

理科がもっと好きになる

ここからはじめよう!

天気予報の最新技術を紹介!

テレビなどで見る天気予報は、科学の技術を駆使してつくられたものです。

天気予報のしくみ

天気予報は、気象のデータに基づいて、ある地域のこれからの気象を予測して伝えるものです。

具体的には、次のようなしくみで行われます。

① 気象台から送られてくる観測データをもとに、コンピューターで処理、数値計算を行い、天気図を作成します。

② 地上・高層での天気図を解析して、現在の大気の状況をつかみます。

③ 天気を知りたい場所の地形や天気の傾向を照らし合わせて、より細かい予測をたてます。

④ テレビや新聞などで、天気予報として発表されます。

天気予報はみなさんに知らされる前に、たくさんの気象データを分析して予測されているのじゃ

▲AMeDAS(アメダス)は、日本の1300カ所に設置された無人観測施設です

▲気象レーダーは、反射して返ってくる電磁波を分析し、気象を観測しています

地球編

気象衛星の活やく

気象を観測するための人工衛星・気象衛星が打ち上げられるようになり、気象予測は画期的に進歩しました。

宇宙から見た迫力満点のハリケーン!!!

▲アメリカの気象衛星GOES(ゴーズ)-9から送られてきた、ハリケーンの映像

▶アメリカの気象衛星GOES(ゴーズ)-8

▶日本の気象衛星(静止気象衛星GMS)、愛称ひまわり。現在7号まで使われている
Photo/masamic

▲衛星から送られてきた、梅雨前線の映像。雲の下の方に見えるのは、九州と紀伊半島

▲衛星から見た、アイスランド南西の寒冷低気圧。雲がうずを巻いているようすが分かる

23

No.5 天気の予想❷
しくみがわかる

日本上空の気圧は偏西風で東へ

詳しく知りたい！

季節ごとに天気はどう変わるの？

日本付近の気圧

　日本の周辺では、発生した低気圧や高気圧が西から東へ（中国や韓国から日本へ）と移動する傾向にあります。
　ですから、テレビの天気予報を見ていると、時間ごとの天気図がだんだん西から東へと動いているようすがわかります。
　これは日本の上空に、偏西風という西よりの強い風が1年を通して吹いていることが原因です。気圧が偏西風に押し流されて、西から東へと移動するためです。

季節の天気の傾向

●冬の天気（筋状の雲＋たてに並んだたくさんの等圧線）

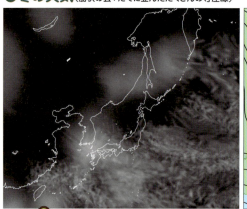
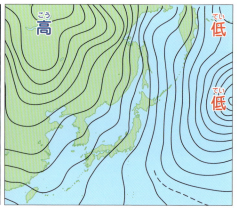

季節によって、天気の特徴がわかるんだ！

　日本は西に高気圧、東に低気圧が発達する天気図になりやすく、この型を西高東低の気圧配置（冬型の気圧配置）といいます。この気圧配置のときは、北西の季節風（モンスーン）が吹いて、日本海側の地域では雪に、太平洋側では晴れになります。

地球編

● 梅雨の天気（東西にのびる停滞前線）

梅雨前線とよばれる停滞前線がずっと日本の上空にとどまります。その結果、雨やくもりの日が続きます。

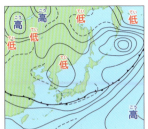

● 春と秋の天気（低気圧と高気圧が東西に並ぶ）

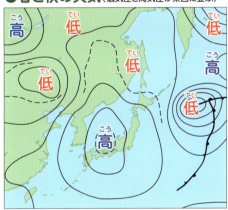

高気圧と低気圧が、交互に日本付近を通過します。すると、天気は3〜5日ごとに変化します。

● 夏の天気（太平洋からはり出す高気圧）

太平洋の高気圧が日本付近まではり出してきます。この型を南高北低の気圧配置といいます。この気圧配置では、南東の季節風が吹いて、蒸し暑い日が続きます。

わかる！POINT

気圧の変化……日本付近では西から東へ移動。偏西風に押し流されている

冬型の気圧配置…西高東低の気圧配置。日本海側で雪、太平洋側で晴れる

梅雨前線………梅雨の時期に停滞する前線。雨やくもりが続く

夏型の気圧配置…南高北低の気圧配置。蒸し暑い日が続く

25

No.6 月の動きと特徴❶

理科がもっと好きになる

月食と日食のひみつにせまる！

ここから見てみよう！

月や太陽が隠れて見える現象には、どんなひみつがあるのでしょう。

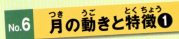

日食の不思議

日食は、太陽が欠けて見える現象です。太陽・月・地球の順に直線に並んだとき、月が太陽を隠して起こるのじゃ

▲日食・月食の位置

月の見ための直径が太陽よりも大きく、完全に太陽を隠す場合を**皆既日食**、月の外側に太陽がはみだして細いリング状に見える場合を**金環日食**といいます。

日食は月の影に入った地域でしか観測できないので、同じ地球上でも見ることのできる場所が限定されるのじゃ

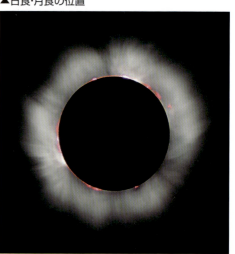
▲日食
Photo/Luc Viatour

知ってる？！理科のタネ

月にも地球のような海がある？

月の表側（地球から観測される側）には、光を反射せず黒く見える「海」と呼ばれている部分があります。海は月の表面の35％ほどを占め、急な地形をしています。

月の海は、地表の下に溶岩があった時代に、クレーターから玄武岩の溶岩が溶けだしてできたのではないかと考えられています。約20kmもの厚みがある玄武岩の層で黒くおおわれた海は、青い水をたたえた地球の海とはまったく異なるものです。

26

地球編

月食ってどんな現象？

月食は、地球が太陽と月の間に入り、地球の影が月にうつることによって月が欠けて見える現象です。月食は、満月のときに起こります。月がすべて影に入ってしまう場合を皆既月食、一部だけが入る場合を部分月食といいます。皆既月食でもたいていの場合は、太陽光のうち波長の長い赤い光が散乱して影に入るため、真っ暗にはならず赤っぽく見えます。

満月の夜に月が欠ける？

▲月食
Photo/Oliver Stein

約2時間30分程度で…
赤っぽくなった！

◀月食の進行
Photo/Luc Viatour

月食は日食と違って、月が地平線より上に見える場所であれば、地球上のどこからでも観測することができるんだ

知ってる？！理科のタネ

月にいるのはウサギ？カニ？

科学が進歩して、月面に人類がたどり着けるようになる以前。世界中の人々は、月の模様を眺めてそこに何が住んでいるのかいろんな想像をしました。日本ではウサギが餅つきをしていると考えられていましたが、南ヨーロッパでは大きなカニ、アラビアではライオン、ドイツでは薪をかついだ男、カナダではバケツを運ぶ少女がいると思われていました。

27

月は1日にどう動く?

月は、日によって三日月になったり満月になったりと、その見え方が変わります。どの形のときも、月は東からのぼり6時間ほど経ったころに南に来て(南中する)、西へと沈んでいきます。南中する時刻は、月の形によって変わります。例えば、三日月のとき南中するのは午後2時、満月のときでは真夜中の午前0時になります。こうした月の1日の動きは、太陽や星と同じように、地球の自転が原因で起こる見かけ上の動きです。

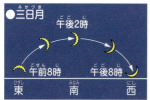

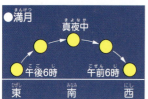
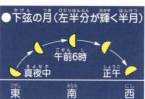

▲南中の時刻

月の特徴

月は、まるい球状の形をしていて、その直径は地球の約4分の1ほど、約3,500kmです。月の表面は石や砂でおおわれ、クレーターと呼ばれるへこみがたくさんあります。このクレーターは、隕石が衝突してできた跡です。

月は自分では光を発しておらず、太陽の光を反射することによって輝いて見えるのです。

▲月表面の様子

▲月の裏側

地　球　編

月の満ち欠け

月はどうしてまるく見えたり、欠けて見えたりするのでしょうか。月は毎日少しずつ見かけ上の形を変えていき、1カ月ほどかかって（29.5日周期）もとの形にもどっていきます。

❶月は地球のまわりを回っている（月の公転）ために、地球から見ると太陽と月の位置が毎日ずれる

❷月は太陽の光を反射して輝くので、太陽の光が当たる部分だけが光って見える

この2つの理由が合わさり、地球から見た月の形は、満ちたり欠けたりするのです。地球から見て月と太陽が反対の向きにあると満月に、同じ向きにあると新月（月が消えて見える）、90度の位置にあると半月に見えます。

太陽と地球、月の位置関係

下弦の月

新月　しんげつ

地球　ちきゅう

満月　まんげつ

太陽の光

月　つき

三日月　みかづき

月の公転の向き

上弦の月　じょうげん

今日の月はどんなかな？

わかる！POINT ポイント

その1　月は東からのぼって南中し、西に沈む

その2　月の形によって南中する時刻が違う

その3　月の動きは、地球の自転による見かけの動き

その4　月の表面には石や砂があり、クレーターが多い

その5　月は太陽光を反射して輝く

29

No.7 星❶

理科がもっと好きになる

ここから見てみよう!

北半球と南半球で見える星座が違う

それぞれの季節の代表的な星座を、夜空にさがしてみましょう。

星を観察してみよう

写真や映像で見ると、星が動いて軌跡をえがいているようすがわかります。

星の動きをたどると、線のように見えるね

▶星の軌跡

北の空では、北極星はほとんど動かないように見えます。実は「北極星」という星座はなく、何千年かごとに別の星に移ります。現在北極星とよばれているのは、こぐま座のポラリス。

実際に星空を見ながら星座を確認するのに役立つ、**星座早見盤**というものがあります。北半球と南半球では見える星座が違うので、私たちがふだん目にするのは、北半球用のものです。

▲こぐま座のポラリス

◀北極星

星座早見盤の見方

❶ 観察する日付けと時間のめもりを合わせます。
❷ 観察したい方角を下にして、実際の星空と見比べます。

30

地球編

夏の星座・冬の星座

日本は地球の北半球に位置するので、南半球の国とは見える星座が違います。

北天（北半球から見える空）の星座図

南半球の星座図

日本からはまったく見えない星座は、カメレオン座、はちぶんぎ座、ふうちょう座など。一般的に用いられる星座の名前は、国際天文学連合という団体がきめたもので、88星座あります。

夏の大三角

こと座のベガ、わし座のアルタイル、はくちょう座のデネブを結んだ大三角。

冬の大三角

赤い線が冬の大三角。こいぬ座のプロキオン、おおいぬ座のシリウス、オリオン座のベテルギウスを結んで見ます。青い線は冬のダイヤモンドとよばれます。

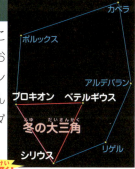

夜空にえがかれる星の三角形！

プラネタリウムでは、ドームに星座が映し出され、わかりやすく解説してくれるぞ。季節ごとの星座のプログラムなども行われているので、利用してみよう

Photo/Gawin

31

No.7 星❷
しくみがわかる

地球の自転で星が動いて見える
夜空の星はどう動いて見えるの？

詳しく知りたい！

1日の星の動き

　星はゆっくりと夜空をめぐるように見えます。1日かかって空を一周し、もとの位置に戻ってきますが、その動きは北の空と南の空で違います。
　北向きに空を見た場合、北極星を中心として星は反時計まわりに回転し、1時間に15度ずつ動く様子がわかります。南向きの空では、東からのぼった星座は、南を通って西へと沈んでいきます。このとき、空全体の星が互いの距離や位置関係を変えることなく動きます。

星の動きの原因は地球？

　星や太陽が1日のうちで動いて見えるのは、地球が回転している(地球の自転)ためです。地球は、北極と南極を結んだ線(地軸)を中心にして、1日に1回転、西から東向きにまわっています。地球そのものが動いているために、周囲の星や太陽が動いて見えるのです。さらに、地球の自転は西から東へと動くので、地球から星や太陽を見たときは東から西へ動くように見えています。例外として、地軸の延長上にある北極星だけは、回転運動の中心にあるため動きません。

夜空がくるりと回って見えるよ！

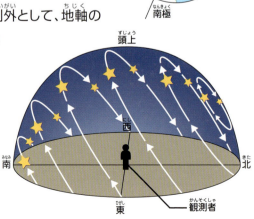

地球編

星の明るさと色の違い

星の明るさは、それぞれ異なります。明るさの段階は、最も明るい星が1等星、肉眼で見えるいちばん暗い星が6等星と決められています。

日本を含む北半球での季節の代表的な星座

● 北の空に見える星座…1年を通して見ることができます。
　　　　　例）カシオペア座、おおぐま座など

● 北以外の方角の星座…季節によって、よく見える星座が変わります。

夏に見える星座
例）はくちょう座、こと座、さそり座、わし座など

冬に見える星座
例）オリオン座、おおいぬ座、こいぬ座など

夏の大三角

冬の大三角

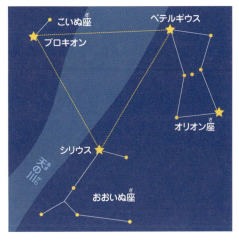

わかる！POINT

- **北の星座**……1年中観測できる
- **北以外の星座**…季節によって観測できる星座が変わる
- **星の1日の動き**…北極星を中心に、1時間に15度ずつ東から西へと動く
- **地球の自転**……地軸（北極と南極を結んだ線）を中心に、西から東へ1日1回転している
- **星の明るさ**………1〜6等星まで

No.8 太陽の動き❶

理科がもっと好きになる

ここからはじめよう！

太陽の正体が明らかに！

地球から見た太陽の姿と、実際の太陽の構造を比べてみましょう。

地球の公転が原因

季節によって、太陽が1日に動く道が変わるのは、地球の公転が理由です。地球は、1年に1回の速さで太陽の周りを回っていて、これを地球の公転といいます。

地球は公転するとき、地軸が23.4度傾いた状態で回っているため、太陽に対してどの位置にいるかで日光のあたり具合や太陽の南中高度が違うのじゃ

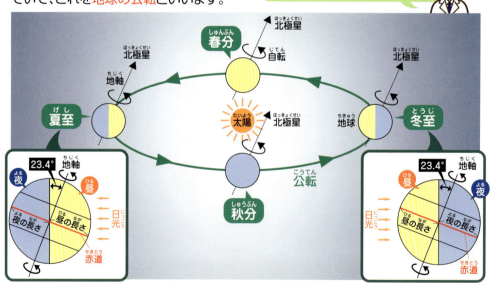

知ってる？！理科のタネ　地球はだんだん遅くなっている

地球の自転は1日（24時間）に1回転ですが、6億年前にはもっと速かったことがわかっています。約22時間で1回転し、1年は約400日ありました。地球の自転スピードはだんだんゆっくりになってきているのです。これは、月や太陽の引力で起こる潮の満ち引きが摩擦となって、ブレーキの作用をしていることが原因のようです。

地球編

太陽の正体!

太陽は、地球を含む太陽系の中心にあります。推定される年齢は、約46億年ほど。中心に存在する水素の核融合によって、エネルギーを放出していると考えられています。

太陽のものすごいエネルギー!

▲X線で見た太陽のすがた

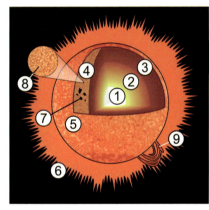

太陽の構造
①太陽核 ②放射層
③対流層 ④光球
⑤彩層 ⑥コロナ
⑦黒点 ⑧粒状斑
⑨紅炎(プロミネンス)

Photo/Pbroks13

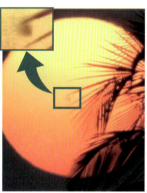
Photo/ed g2s
▲太陽の黒点のようす

1970年ごろから、太陽をX線によって観測する試みが活発になりました。このおかげで、太陽に関する情報がしだいに明らかになってきました。

太陽観測衛星「ひので」は日本とアメリカ、イギリスの協力で打ち上げられました。X線のほか、可視光線、紫外線などによる観測技術が用いられています。

この衛星で、太陽のくわしい情報をキャッチしているよ!

▶太陽観測衛星

▲宇宙からみた太陽光

35

No.8 太陽の動き❷
しくみがわかる
太陽の動く速さは地球の自転の速さ
太陽が見える位置の変化や理由

詳しく知りたい！

日光がつくる影

影は、進んでくる太陽の光をものがさえぎることで映し出されます。ものを中心として見たとき、太陽と影は正反対の向きに位置します。

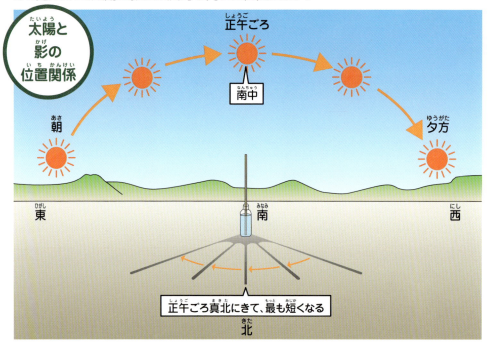

太陽の1日の動き

太陽の動く速さについて、考えましょう。朝から夕方までのあいだ（約12時間）に、東から西までの約180度を動きます。1時間に直すと、180度÷12＝15度動いていることがわかります。

これは、地球が1時間に15度の速さで、西から東へと回転（自転）しているためです。太陽の見ための速さは、実は地球自体の速さなのです。

地球編

昼と夜の長さが同じ日?

　春分の日、秋分の日は昼と夜の長さが同じ日だと誤解している人が多いようです。実は、そうではありません。これは、日の出・日の入りが「太陽の上端が地平線と一致する瞬間」と決められているため、昼の方が太陽の半径の分、道のりが長くなるのです。また、太陽の光の屈折の効果で、さらに昼の時間が長くなっています。

太陽の動く道の変化

　太陽が1日に動く通り道は、季節によって変化します。そのため、夏と冬では、地表が1日に受ける日光の量が違ってきます。

●夏（夏至 6月21日ごろ）
1日に受ける日光の量が多くなります。その理由は、①太陽の南中するときの高度が高く、地面と日光の角度が90度近くになるため②昼の時間が長くなるためです。

●冬（冬至 12月22日ごろ）
1日に受ける日光の量が少なくなります。それは、①太陽の南中する高度が低いため②昼の時間が短いためです。

冬が寒いのは、日光のあたる時間が少ないからなのね

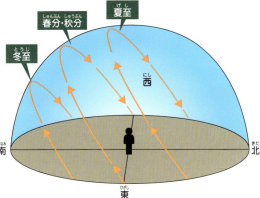

わかる！POINT

影……………ものが太陽の光をさえぎって、太陽と正反対の方向にできる

太陽の1日の動き
　　……………東からのぼって南中し、西へ沈む

太陽の動く見かけの速さ
　　……………1時間に15度動いて見える。太陽の見かけの速さ＝地球の自転の速さ

夏至……………1日に受ける日光の量が多い

No.9 流水のはたらき❶

理科がもっと好きになる ここからはじめよう！

水のパワーが大地を動かす！

流水の変化によって、山や町、私たちの暮らしも影響を受けています。

水によってできた土地

黒部川の扇状地は、かつては水持ちが悪く、多くの用水を必要としていました。そのため土地改良工事として、水の運搬の力で上流から赤土を流し、下流の水田に運び入れました。

▲黒部川

河口の近くが、扇を開いたような形に！

▲黒部川に見られる扇状地
Photo/BehBeh

▲V字谷の、深い渓谷。グランドキャニオン
Photo/Tobi 87

▲中国ツァイダム盆地の扇状地

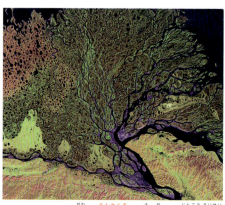
▲ロシアのレナ川の三角州。NASAの人工衛星ランドサットによって撮影された写真

地球編

水の災害を防ぐ工夫

砂防ダム

上流に地すべりの起こりやすい山がひかえている土地では、大雨によって土砂災害が起こる危険があります。
砂防ダムは、土石流をくいとめる目的でつくられています。

砂防ダムで、土砂の流れをくい止める!

▶六甲山にある砂防ダム
Photo/Miya.m

堤防

雨で川が増水したとき、町に水があふれだすのを防ぎます。

▲堤防を整備しているようす
Photo/多摩に暇人

河川敷

大きな川には、たいてい河川敷が設けられています。ふだんは公園のように使われていますが、川が増水して町が浸水しないように備えられているものです。

▶河川敷
Photo/Kansai explorer

遊水地

洪水が起こったときに、河川の水を一時的にはんらんさせる目的の土地を、遊水地といいます。

▲渡良瀬遊水地
Photo/Hotsuregua

ダム

ダムは、水を貯めておく役割のほかに、洪水を防ぐ目的を持っています。しかし、ダムによって周辺の生態系バランスが崩れ、問題となっています。

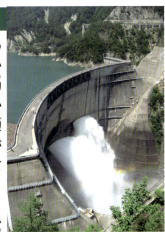

▶黒部川ダム
Photo/Qurren

39

No.9 **流水のはたらき❷**
しくみがわかる

水によって土地がつくられる
川がつくりだす地形のいろいろ

詳しく知りたい！

流れる水の3つのはたらき

日本は川の多い国です。川の流れによって、形づくられている土地があちこちにあります。川の水の流れには、3つのはたらきがあります。

浸食 と **運搬** …流れの速いところで見られるはたらき

浸食は、川の水が川岸や川底をけずりとるはたらきのことです。**運搬**は、けずりとった土や砂を水が運ぶはたらきをいいます。川原の石を観察してみると、上流から下流へと運ばれるあいだに、角がとれてだんだん小さくなっていくことがわかります。

たい積 …流れが遅いところ

流れの遅いところでは、運ばれてきた土砂が積もっていく**たい積**というはたらきが見られます。

水の流れる量が増える（大水が出る）と、3つのどのはたらきもさかんになります。

川の流れが土地をつくっているなんて、すごい！

わかる！POINT

浸食	水の流れが土砂をけずりとるはたらき
運搬	水がけずりとった土砂を運ぶはたらき
たい積	運んできた土砂を積もらせるはたらき
V字谷	V字型の深い谷
扇状地	扇形の丘のような地形
三角州	河口近くの三角の平野

地球編

流水によってできる地形

●V字谷
Vの字に似た形の、深い谷。流れの速い川の上流に、浸食によってできる地形です。

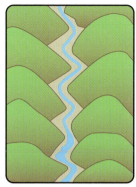

> 水の流れがつくり出した土地には、さまざまな特徴が見られるんだね

●扇状地
扇形の、小高い丘のような地形。川が山から平地に出たところで、流れがゆるやかになり、そこまで運搬されてきた土砂がたい積することによってできます。

●三角州
河口の近くにできる、三角形の平野をいいます。河口に近づき、川の流れがゆるやかになるため、土砂がたい積してできます。

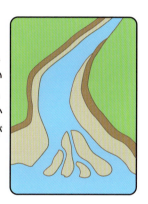

●川の曲がる場所の地形

曲がりの外側	流れが速く、浸食がはたらきます。 ⬇ 川岸はがけになり、川底までの深さが深くなります。
曲がりの内側	流れがゆっくりで、たい積がはたらきます。 ⬇ 川岸は川原になり、川底は浅くなります。

No.10 地層と化石❶

理科がもっと好きになる

ここからはじめよう！

壮大な地層と化石のふしぎ！

地球上のいたるところで、貴重な地層と化石が発見されています。

いろいろな地層のようす

▶ポーランド南東部カルパティア山脈の地層。地層のさかいめがはっきりしている
Photo/Tomasz Kuran

▲写真中央の段差になっている部分が、地震によってできた根尾谷断層
Photo/Tomomarusan

アメリカのカリフォルニア州南部から西部にかけて、約1,300kmも続く巨大断層じゃ。周辺は、地震の多い地域になっているぞ

◀サンアンドレアス断層

▲ギリシャのクレタ島。しゅう曲が現れている
Photo/Dieter Mueller

幾年代にもわたる地層のようすが見られます。雄大だね！

▶グランド・キャニオンは、地震による地殻変動によって隆起した後、浸食されてできた土地

地球編

よみがえる化石の世界

現在までに、多くの化石が発掘されています。その化石のひとつひとつが、私たちに古代の地球のようすを教えてくれています。

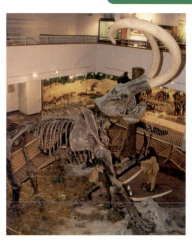
▶コロンビアマンモスの巨大な骨格標本。氷づけの状態から発掘されたもの

◀珪化木という、木が化石になったもの。内部が美しい石になっている

▶アンモナイトの化石
Photo/Azu

Photo/David Monniaux
▲ティラノサウルスの骨格標本。近年、血管や細胞が残る骨も発見されている

Photo/Raymond
▲始祖鳥の化石。化石では、今は存在しない生物に出会うことができる

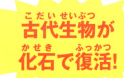
古代生物が化石で復活！

43

No.10 地層と化石❷
しくみがわかる

地層や化石で時代の謎がとける
長い年月をかけてできた石

詳しく知りたい！

地層のでき方

地層は、粘土や砂などが積もってできたたい積物のことです。

地層は、川などの流水に運ばれてきた小さな石（れき＝直径2mm以下）や砂、泥が海底に積もってできるか、火山が噴火したときに出た火山灰が風で運ばれ、たい積してできます。海底にできた地層が陸で見られるのは、大昔に海底でできあがった後、地上に押し上げられたためです。

地層は、畳を何枚も重ねたように、しまの模様になっています。その1枚1枚を単層といい、単層と単層のさかいめの線を層理といいます。ひとつの単層の中は、粒の色や種類、大きさがほとんど同じです。

化石のでき方

地層ができたころの生物の死がいや、生活のあとが残って石になったものを、化石といいます。化石を調べることによって、その時代の生物や、土地のようすを知る手がかりになります。

例）サンゴの化石…その場所が暖かく浅い海だったことがわかる
　　シジミの化石…河や湖で地層ができたといえる

わかる！POINT

断層……………地層が断ち切られてできたずれ
化石……………地層の中に、生物や生活のあとが残ったもの
地層……………水で運ばれたれき・砂・泥がたい積したもの、または火山灰などがたい積したもの
正断層…………引っ張られてできた断層
逆断層…………押されてできた断層
しゅう曲………地層が波のように曲がったもの

地球編

地層を読みとる

　地層を観察すると、いろいろな情報がわかります。地層は上へ上へとたい積するので、上の層ほど新しいものです。そして、粒の小さな層は、河口から遠く水深の深いところでたい積したと考えられます。これは、粒の大きいものが先に沈むので、河口に近い方から　れき→砂→泥　の順でたい積するためです。

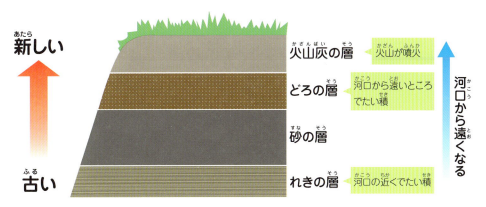

地層の変化

　地層はもともと水平に層をつくっていますが、大きな力を受けて変化することがあります。

しゅう曲

地層が曲がって波打つような形になったもののことです。

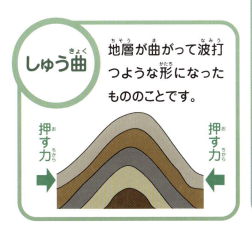

断層

地層が断ち切られて、ずれたものです。断層には、正断層と逆断層があります。

正断層
正断層は、外側から引っ張られてできた断層です。

逆断層
反対に、逆断層は外側から押されてできた断層をいいます。

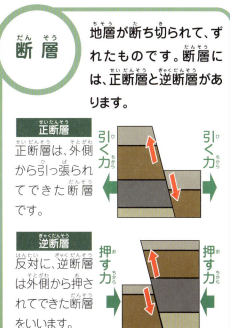

No.11 火山❶

理科がもっと好きになる

ここからはじめよう!

地底のマグマが噴き出す!

地球の奥深く、地殻に火山の噴火のもとになるマグマが眠っています。

地殻のようす

- 地殻 — 深さ約10〜30kmまで
- 上部マントル — 深さ約670kmまで
- 下部マントル — 深さ約2,900kmまで
- 外核 — 深さ約5,100kmまで
- 内核 — 地球の中心

画像提供 Mats Halldin

地球の地面の下、奥深くはこのようになっているぞ

岩石のでき方

マグマが冷やされたり、たい積物が押し固められたりして、岩石ができます。

火成岩　マグマが冷えて固まったもの。つぶが角ばっている。

例）花こう岩、安山岩など

花こう岩
Photo/Luis Fernandez Garcia

安山岩
Photo/Siim Sepp

たい積岩　たい積物が固まってできたもの。つぶが丸みをおびている（凝灰岩は例外）。化石を含んでいる場合があります。

例）れき岩、砂岩、でい岩（泥が固まったもの）、凝灰岩（火山灰が固まったもの）、石灰岩など

れき岩
Photo/Luis Halvard

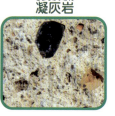
凝灰岩

地球編

いろいろな火山を見てみよう

●マグマの噴き出すようす

マグマは、温度や成分によって粘り気が異なります。冷えてできる岩も、マグマの質によって違います。

噴き出す
大迫力の
マグマ！

●富士山

富士山も、活火山の仲間です。

富士山噴火の記録は、江戸時代に起こった宝永大噴火が最後だよ。今はとても静かなようだね

●桜島

鹿児島湾に位置する火山島です。1914年の噴火で、大隅半島と地続きになりました。

Photo/Krypton

●阿蘇山

熊本県阿蘇地方の活火山。正式には阿蘇五岳といいます。

Photo/alpsdake

●ハワイ島の キラウエア火山

20世紀に45回も噴火を起こし、現在も活動が続いている山です。

地球以外にも
火山が存在する?!

●火星の火山・ オリンポス山

地球以外の惑星にも、火山はあります。オリンポス山は、火星で240万年前に噴火が起こった跡です。

No.11 火山❷
しくみがわかる
詳しく知りたい！

火山の形はマグマでわかる
火山が噴火する不思議

火山の特徴

　火山と普通の山は、どう違うのでしょう。火山は、もともと地面の奥深く、地殻とよばれる部分にあるマグマが噴き出してできた山です。マグマが噴き出すことを噴火といいます。マグマは、地下で岩石がドロドロに溶けたもので、温度は800〜1200℃もあります。

　火山が噴火すると、火口から溶岩が流れ出したり、火山灰が噴き出したりします。例えば、群馬・長野県境の火山・浅間山の例では、小さな規模の噴火で火口から4km以内が危険地域になります。中規模の噴火では、小さな石だと8kmほどの距離のところまで飛んできます（そのときの風向き、風速によっては、もっと遠くまで飛びます）。

●火山灰
風に乗って流れる

火山灰は遠く離れたところまで、飛んでいくんだね！

●マグマ
地下で、岩石がどろどろに溶けたもの

●溶岩
マグマが流れ出したものや、それが固まったもの

マグマの温度はどうやって測るの？

　1000度以上もある、非常に高い温度のマグマ。いったいどうやって温度を測ったのでしょう。熱すぎて温度計がドロドロに溶けてしまいそうです。
　もちろん、普通の温度計では1000度を超える高温を測ることはできません。高温の物は熱のエネルギーを光として出すので、放射される光の色で温度を調べます。

地球編

火山の形や種類

　火山の形は、噴火したときのマグマの粘りぐあいと関係しています。
　マグマの粘りが大きいと、溶岩ドームという急斜面の山ができます。逆に、マグマの粘りが小さい噴火では、たて状火山とよばれるゆるやかな斜面の山になります。

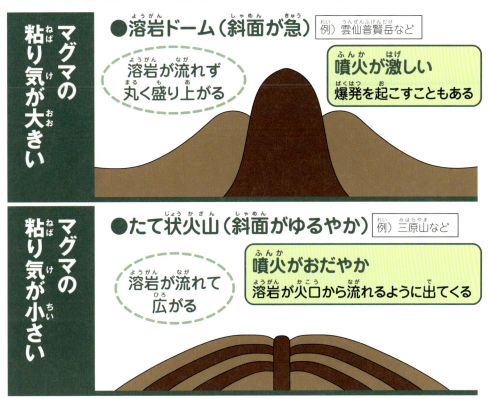

　火山には、1回だけの噴火で活動を終える火山（単成火山）と、何度も噴火をくり返す火山（複成火山）があります。また、過去1万年以内に噴火した火山または現在活発な噴火活動のある火山を指して、活火山といいます。

No.12 地震❶

理科がもっと好きになる

ここからはじめよう!

地震や津波のしくみを知る!

大きな地震や津波が起これば、私たちの生活にも影響を及ぼします。

緊急地震速報のしくみ

気象庁が中心となって提供している緊急地震速報という警報があります。

▶地震速報端末
Photo/Namazu-tron

▶緊急地震速報

これは地震の発生直後、震源地近くの地震計でとらえた地震のデータを解析、各地に地震の到達時刻や震度の予想を知らせるシステムなんじゃ

津波の危険

海で地震が起こった場合、海底の地形が変化して海水が押し上げられたり、沈んだりするために津波が発生します。

◀スマトラ島沖地震のときに起こった津波の被害。水や流木で町がおおわれた

津波のスピードは非常に速く、時速数百kmといわれているんだ。波の高さは、水深が浅い場所ほど高くなる。浅い湾岸に到達して、数十mの高さの波になることもあるぞ!

50

地球編

地震の影響の大きさ

1963〜1998年に起こった地震の世界分布。地震が起こりやすい場所が、はっきりとわかります。

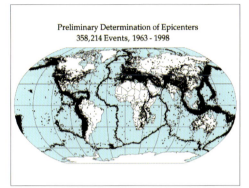

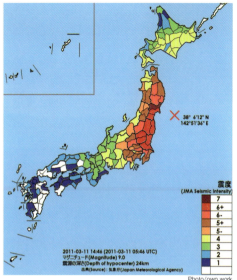

▲1963〜1998年に発生した地震の震源を、世界地図に表わした地震分布図。黒い部分が地震の回数が多かった地域。日本の周辺をはじめとする太平洋を取り囲む地域や、アルプス・ヒマラヤ山脈のあたりが特に地震が多いことがわかる

▲2011年に発生した東日本大震災で、本震（一番大きな揺れ）が起こったときの震度分布図。宮城県栗原市が震度7、その周辺地域も広範囲にわたって震度5以上を記録した。この図を見ると、東北から関東にかけて、大きな揺れがあったことがわかる

地震の被害のあとは、私たちの生活に大きなつめ跡を残しています。

▲新潟県中越地震で被害を受けた道路。大きなひび割れが入っている
Photo/Tubbi

▶阪神・淡路大震災で起こった火事の、消火活動のようす
Photo/松岡明芳

▲阪神・淡路大震災で傾いたビル。この後、完全に倒壊
Photo/松岡明芳

51

No.12 **地震❷** しくみがわかる

プレートのゆがみが地震を起こす
地面を揺るがす地震のメカニズム

詳しく知りたい！

地震が起こる理由

地震は、
① 大地に大きな力がかかり、地下の岩石の層にひずみとしてたまる
② 地下の岩石がひずみにたえられなくなる
③ 岩石がある瞬間とつぜん壊れて、**断層**（岩盤のずれ）が生じる
④ 断層が動いて、地震が起こる

というしくみで起こることがわかっています。最近まで活動をしていた断層で、今後も活動の可能性がある断層のことを**活断層**といいます。つまり、活断層の付近では将来的にも地震が起こりやすいと考えられるでしょう。

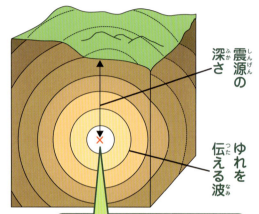

震源… 地震が起こったところ（ここで岩石が壊れ、断層ができた）

活断層の近い地域では、地震に対する注意が必要ね

地震の表し方

地震の大きさを表す方法には、震度とマグニチュードが使われます。**震度**は、地面の揺れの大きさを示すもので、震源に近い場所、地盤のやわらかい場所で大きい値になります。震度は人には感じられない震度0から建物の倒壊が起こるような震度7までの10段階で表されます（震度5と震度6は5弱、5強、6弱、6強に分けられています）。震度は震度計で測定されます。

マグニチュードは、震源で発生した地震のエネルギーの大きさを表しています。マグニチュードの値が大きいほど、各地で観測される震度や、災害が大きくなります。例えば、2011年の東日本大震災では、マグニチュードは9.0でした。

地球編

大地の動き

大地は、一定の状態におさまっているわけではなく、常に変化しています。大地がもり上がることを**隆起する**、沈むことを**沈降する**といいます。

▶兵庫県淡路市にある北淡震災記念公園内の野島断層保存館に展示されている阪神・淡路大震災で発生した断層　Photo/Sakurai Midori

地球の地殻は、10数枚の固い岩の板（プレート）でできていて、パズルのように表面をおおっています。地球の中心がゆっくり動いているため、プレート同士も動いてぶつかることがあります。そのときに生じるゆがみやひずみが、地震を引き起こします。

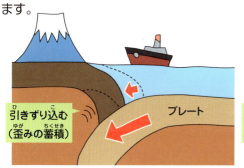

世界中で地震がひんぱんに起こる場所と、プレートのさかいめになる場所はほぼ同じことがわかっています。日本は、ユーラシアプレート、太平洋プレート、北アメリカプレート、フィリピンプレートという4つのプレートのさかいめにあります。ですから、地震が多く起こるのです。

わかる！POINT

断層・・・・・・・・・・・岩盤のずれ
活断層・・・・・・・・・今後も動く可能性のある断層
　　　　　　　（地震が起こりやすい）
震度・・・・・・・・・・・地震の揺れの大きさを表す
マグニチュード・・・地震のエネルギーの大きさを表す
隆起・・・・・・・・・・・大地がもり上がること
沈降・・・・・・・・・・・大地が沈むこと

No.13 生物と環境❶

理科がもっと好きになる

ここからはじめよう！

人間の生活と環境を考える！

私たちの経済活動が自然に及ぼす影響と、問題への取り組みを知りましょう。

環境に与える影響

家電製品に使われていたフロンガスによって、地球を有害な紫外線から守るオゾン層が壊されてしまったのじゃ

現在、日本ではフロンガスの使用が禁止されています！

◀紫と青の部分が、最もオゾン層が薄くなってしまった部分

Photo/Eurico Zimbres

▲排水によって水が汚され、川にたくさん泡が浮かんでいるようす

◀工場からでる排煙。空気が汚され、ぜんそくなど健康の被害を受ける場合もある

Photo/Nino Barbieri

▲酸性雨によって、銅像が溶けだしている

知ってる？！理科のタネ

オゾンホール※ がふさがる日

現在、南極上空で見られるオゾンホールは過去最大にまで達しています。有害な紫外線が増えると、がんなどの原因になるといわれています。ですが、フロンガスの排出規制の効果が出て、2020年ごろからオゾンホールは小さくなり、2050年にはふさがるだろうという予測が発表されています。　※オゾンホールとは地球上空の成層圏にあるオゾン層にできた、極端に濃度の薄い部分のこと。

地球編

環境問題への取り組み

● 水の浄化
汚れた水を、川や海へ流さない努力をしています。

● 放出する二酸化炭素を減らす
節電に取り組み、二酸化炭素の排出量を減らします。

また、火力発電など化石燃料を使用する発電、太陽光発電、風力発電などの自然の力を利用した発電、原子力発電などを比較検討しています。

▲風力発電

▲太陽光パネル
Photo/Walter J. Pilsak

▲住宅の屋根に取り付けた太陽光発電の装置
Photo/Gray Watson

ガソリンの使用が少なくてすむハイブリッドカーや、電気で走る電気自動車、水素を燃料とする燃料電池自動車を使用・開発する取り組みも行われているぞ

▶ハイブリッドカー
Photo/Luca Mascaro

▲水素とガソリンの両方を燃料に使える車

● 有害な化学物質を減らす
車のエンジンを改良したり、工場のシステムを改良して酸性雨の原因になる物質が空気中に出ないよう工夫しています。

● 二酸化炭素の吸収
植林を行い、森林を育てる努力をしています。

▲スギやヒノキの人工林
Photo/陳炬燵

● リサイクルを行う
プラスチックや金属、紙など再利用できるものを回収しています。

55

No.13 **生物と環境❷**

しくみがわかる

詳しく知りたい！

生物には水と空気が必要

いのちを育む地球を守る

空気や水と生物

生物は、空気を吸いこんで酸素を取り込み、二酸化炭素を出しています。そして、植物は光合成をするとき、空気中の二酸化炭素を取り入れ、酸素を出しています。呼吸も光合成も、生命を保つために欠かせないはたらきで、空気がなくては生物が生きることはできません。生物は、空気を通してお互いにつながっているのです。

また、水も生物にとって大切ないのちの源です。私たち人間の体は、赤ちゃんで体重の約75％、子供では約70％、大人の場合で約60％ほどが水でできています。もし体重の20％の水がなくなると、死に至ることがわかっています。食べ物がなくても2〜3週間は生きられるといいますが、水がなくては4〜5日で死んでしまいます。

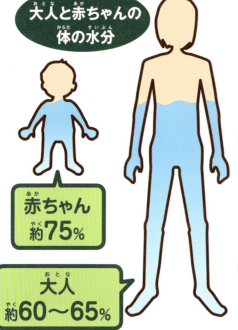

大人と赤ちゃんの体の水分

赤ちゃん 約75％

大人 約60〜65％

僕たちの体の大部分は、水でできているんだね！

地球編

人間の生活と自然環境

●水の汚れ

工場の排水、私たちの家から出る生活排水（洗たくや風呂などに使った水）が川や海にそのまま流れ込むと、水が汚れてしまいます。そのため、工場で使った水はきれいにしてから流す、生活排水は下水処理場で汚れを取り除いてから海へ流すといった工夫がされています。

●空気の異常

① 石油・石炭といった化石燃料を使うと、二酸化炭素が空気中に出されます。自動車を走らせたり、工場でものをつくるなどの活動をすると、空気中の二酸化炭素や化学物質の量が増えてしまいます。そして、気温が上がる**地球温暖化**の原因になります。また、空気中の窒素化合物・硫黄酸化物が雨になる**酸性雨**の問題が起こります。

② 森の木を大量に切ると、植物の光合成が減り、空気中の酸素と二酸化炭素のバランスが崩れていきます。

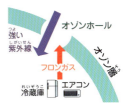

わかる！POINT

水と空気………地球の生物が生活する上で、欠かせない

水の汚れ………人間の生活で水を汚さないよう、きれいにして川や海へ流す

空気の異常………①化石燃料（石油・石炭など）を使うと、空気中の二酸化炭素が増えて地球温暖化の原因になる ②空気中に増えた化学物質が、酸性雨になって降る ③森の木を大量に切ると、二酸化炭素が増える

57

No.1 光の性質❶

理科がもっと好きになる

ここから見てみよう！

光の種類を見てみよう

虹が発生する仕組みと光を使ったデータ通信について解説します。

光を分けるプリズム

プリズムに光を通すと、赤、だいだい、黄、みどり、青、あい、紫に光が分かれるぞ

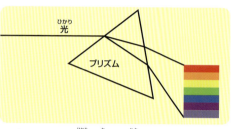

▲プリズムによる光の分かれ方

　光はガラスでできた三角柱の形をした**プリズム**を使うと、7つの色に分けて見ることができます。光が空気中からプリズムに入るときに屈折という現象が起こり、光の進路が少し曲がります。この曲がり方は光の種類（波長）によって少しずつ違っているために、光はさまざまな色に分かれて広がり、このことを「**分光**」といいます。空にできる虹は、大気中の雨つぶや氷の塊がプリズムの役割をしてできたもので、光の色の並び方は外側の赤から内側の紫へと変化していきます。

▲虹

Photo/©www.ricora.net

知ってる？！理科のタネ

プリズムで分光を発見したのはだれ？

　光のプリズムが発見されたのは、350年ほど前のことです。引力を発見したことで有名なアイザック・ニュートンが発見しました。そのニュートンが初めに虹が7色だといったのです。イギリスでは虹は6色だといい、ドイツでは5色だといわれています。4色、3色といっている国もあります。太陽の光が赤色から紫色までたくさんの色に分かれている虹の色は、3色から、とらえ方によりいく通りにも数え方がありそうです。

58

エネルギー編

光の特性を利用した光ファイバー

光ファイバーは、ガラスやプラスチックの細い繊維でできていて、しかも非常に高い純度のガラスやプラスチックが使われているため、光をスムーズに通せる構造になっています。

光ファイバーを使って通信を行うには、電気信号を光信号に変換し、光ファイバーに通して通信します。

光ファイバーは全反射の原理を利用しているのじゃ!

光は光ファイバーの中で、全反射を繰り返しながらもう一方の端まで到達します。光ファイバーは、通信用光ケーブルのほか、狭い場所やがれきの中の探索、医療用内視鏡などにも使われています。

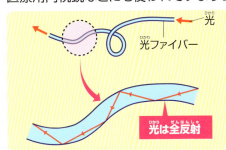

▲光ファイバーのしくみ

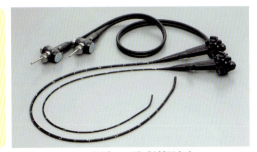

▲光ファイバーを利用した医療用内視鏡

光の進む速さは、太陽から地球まで約8分20秒、月から地球は、2秒もかかりません。1秒間に地球を約7回半回る速さとも表現されています。現在において、情報伝達で最も早いのが光といわれています。

59

No.1 **光の性質❷**
しくみがわかる

3つの法則がある光の進み方
光の進む速さを利用した情報伝達

詳しく知りたい！

太陽からの光

太陽から降り注いでくる「光」、蛍光灯の「光」。私たちの生活に欠かせない「光」は、人間のみならず全ての生物が生きていくために必要なものです。

光は電磁波という波の性質を持ったものの仲間のひとつで、太陽が出す電磁波には宇宙線・X線・紫外線・可視光線・赤外線・電波線があります。そのうち人間が明るさや色として目で感じることのできる部分を可視光線といい、光と呼んでいます。私たちが目にするものは、全て光によって表現されているのです。

太陽からは可視光線（光）以外に宇宙線・X線・紫外線・赤外線・電波線が地球に降り注いでいます。

太陽から地表に降り注ぐ電磁波の約半分が可視光線（光）になるよ

紫外線、可視光線、赤外線が地表に注がれる

空気の層（オゾン層など）

| 宇宙線・X線など | 紫外線 | 可視光線 | 赤外線 |

オゾン層などで吸収される　　オゾン層などを通過して地表に届く

60

エネルギー編

光の進み方

光の進み方には3つの法則があります。

①光の直進

光は同じ物質の中ではまっすぐに進む。

太陽の光はいろんな方向に向かっていますが、同じ物質の中ではまっすぐに進みます。

③光の屈折

光は違う物質の中を進むときは折れ曲がる。

入射角>屈折角

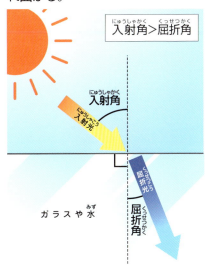

②光の反射

光は物の表面に当たるとはね返る。

入射角=反射角

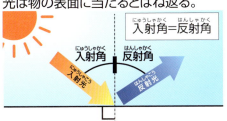

入ってくる光を入射光といい、入射光が入ってくる角度を入射角といいます。反射して出ていく光を反射光、角度を反射角といいます。入射角と反射角は同じになります。また、入射光のすべてが反射する現象を全反射といいます。

空気の中を進んできた光が、水やガラスなどの違う物質の中を進むときに、光の角度が変わります。これを屈折といい、屈折して出ていく光を屈折光、角度を屈折角といいます。屈折角は入射角より小さくなります。

わかる！POINT

① 明るさや色として目で感じることのできる部分が光
② 目にする全てのものは、必ず光によって表現されている
③ 太陽が出す電磁波には宇宙線・X線・紫外線・可視光線・赤外線・電波線がある
④ 光の進み方には3つの法則がある

61

No.2 振り子・ばね❶
理科がもっと好きになる　さがしてみよう!

振り子とばねを使った道具

それぞれの特性を活かして発明された道具を紹介します。

振り子

▲振り子時計
Photo/Mulad

振り子時計は、1657年にオランダの物理学者クリスティアーン・ホイヘンスによって発明されました。

振り子の原理を使った**メトロノーム**は音楽には欠かせません。ドイツのヨハン・ネポムク・メルツェルが1816年に特許を取得し、音楽家で最初に利用したのはベートーヴェンです。

▶メトロノーム
Photo/dead_elvis

一定の動きをする振り子を使ったものじゃ

知ってる？理科のタネ　振り子の原理を発見したのは誰?

最初に振り子の法則を発見したのはイタリアの物理学者ガリレオ・ガリレイで、1583年に教会の天井からつられたランプが揺れているのを見て、そのランプが大きく揺れても、小さく揺れても「1往復するのにかかる時間は同じ」だということを発見しました。

エネルギー編

ばね

最初のばねばかりは1770年頃にイギリスのウエスト・ブロムウィッチのリチャード・サルターによって製作され、1838年にばねばかりの特許を取得しました。彼はばねばかりの原理を蒸気機関車の安全弁に応用し、軽く動かせる弁の改良を行いました。

ばねばかりは、体重計や、キッチン用品の台ばかりなど、あまり精度を要求されないような場面で広く用いられています。天びんばかりで測る重さとは違い、測定する場所の重力に左右されるため、地球の自転の影響で緯度により数値が変わってきます。

▶ばねばかり

▲台ばかり

重さに対して決まった伸び方をするのがばねじゃ

まとめ

振り子は
重りの重さには左右されない
▼
時間を測るのに適している

ばねは
重りの重さに比例して伸びる
▼
重さを測るのに適している

知ってる？理科のタネ

ばねの動きの原理を発見したのは誰？

1676年イギリスの物理学者、ロバート・フックにより、ばねの伸びとばねを引く力は正比例するという、ばねの動きの基本原理が発見されました。後にフックの法則と呼ばれるようになりました。

63

No.2 振り子・ばね❷

しくみがわかる

詳しく知りたい！

長さで変わる振り子と重さで変わるばね

振り子には時間、ばねには力の法則がある

振り子の運動の法則

振り子が1往復する時間には一定の法則があります。

1 振り子の振れる時間（周期）は振り子の長さで決まる。

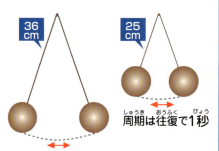

36cm 周期は往復で1.2秒
25cm 周期は往復で1秒

2 振り子の重りの重さでは振れる周期は変わらない。

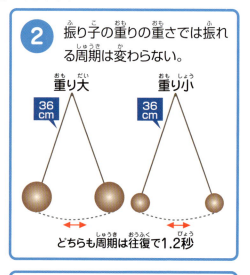

重り大 36cm　重り小 36cm
どちらも周期は往復で1.2秒

3 振り幅を大きくしても周期は変わらない。

振り幅を変えても振り子の長さが同じならば周期は同じ

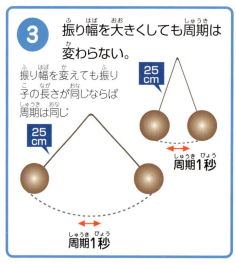

25cm 周期1秒
25cm 周期1秒

4 振り子は低いところほど速く動く。

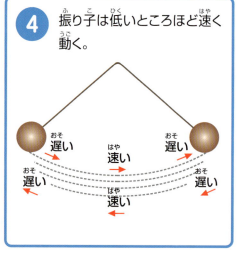

遅い　速い　遅い
遅い　速い　遅い

64

エネルギー編

ばねの伸び方のきまり

ばねの伸びは重りの重さ(引く力)に比例します。

1 ばねにつるす重りが2倍になると、ばねの伸びも2倍になる。

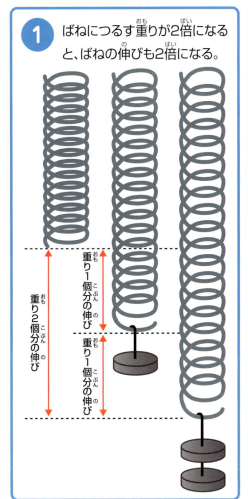

2 2本のばねを直列につなぐと、伸びは2倍になる。

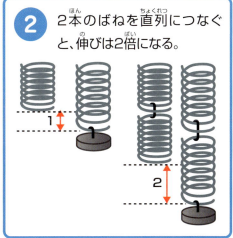

3 2本のばねを並列につなぐと、伸びは1／2になる。

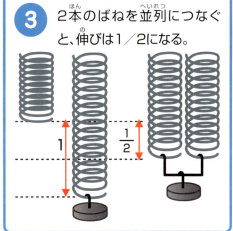

わかる！POINT

振り子……振り子の周期は振り子の長さできまり、重りの重さや、振り子の振り幅には左右されない

ばね……ばねの伸びは、重りの重さに比例している。直列につないだばねの伸びは比例し、並列につないだばねの伸びは反比例となる

65

No.3 てこの原理とつりあい ❶

理科がもっと好きになる

さがしてみよう!

「力点・支点・作用点」を見つけよう!

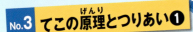

てこのしくみを利用した身の回りの道具には、次のようなものがあります。

1. 支点が真ん中にあるタイプ　　はさみ

他には、ペーパークリップ、ペンチ、釘抜きなどがあります。

2. 作用点が真ん中にあるタイプ　　栓抜き

このタイプでは、力点に加える力よりも作用点に働く力が大きくなります。

穴あけパンチ、空き缶つぶし器などもそうじゃ!

3. 力点が真ん中にあるタイプ　　ピンセット

このてこのタイプは、作用点に働く力よりも力点に大きな力を加える必要があります。その代わり、大きな動きを得ることができます。ピンセットのように細かい物をつまむ道具では、はさむものをつぶさずにつまむことができるというわけです。

他には、パンばさみ（トング）、ホッチキスなどがあります。

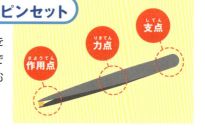

知ってる?! 理科のタネ　てこの原理を発見したのはだれ?

てこの原理を発見したのは、古代ギリシアの有名な学者・アルキメデス。伝説では「私に支点を与えよ。されば地球を動かしてみせよう」といったとか。古代の戦いに使われた兵器カタパルト（投石機）など、てこのしくみは、古くからいろいろな物に利用されてきました。

エネルギー編

意外なところに「てこの原理」が?!

てこの原理を利用して、驚くほど大きな物を動かしている道具、意外な使い方をしている道具がたくさんあります。

●公園のシーソー
左右に人が座ってバランスを取るしくみは、てこのつりあいと同じです。

●ピアノの鍵盤
ピアノの鍵盤は、内部にある音を出すためのハンマーを操作するレバーになっています。

●車のシフトレバーやブレーキ

Photo/Tennen-Gas

車を瞬時に持ち上げるスゴ技!

作用点
力点
支点

●車やバイクのジャッキ　ジャッキで車体を持ち上げて、タイヤを交換することができます。

67

No.3 てこの原理とつりあい❷
しくみがわかる
詳しく知りたい！

3つの点のバランスが重要
小さな力で大きな物を動かすことができる

3つの点の動き

「てこ」とは、棒のような物を使って、少ない力で大きな物を動かすことのできるしくみをいいます。てこを利用すれば、素手では動かせない物でも楽に動かしたり、持ち上げたりすることができます。

てこには、**支点・力点・作用点**という3つのはたらきをする点があります。力点はてこに力を加えるところ、支点はてこを支える役目をするところ、作用点はてこに加えた力がはたらくところになります。

（重くて素手で動かすのはとても無理!）

（てこを使えば動かすことができる）

てこのしくみは、支点・力点・作用点の力と距離のバランスによって成り立っています。支点から力点までの距離をできるだけ長く、また、支点から作用点の距離を短くなるようにすると、小さな力でより大きな物を動かすことができます。

大きな物も動かせるんだね

エネルギー編

てこのつりあい

左右におもりをつるすことができるようなてこには、バランスをとるための決まりがあります。てこを傾けるはたらきを重りの重さ×支点からの距離で表したとき、てこの左右でつりあいが取れるようにするには、それぞれのてこを傾けるはたらきが同じにならなくてはいけません。

◀天びん

てこのバランス

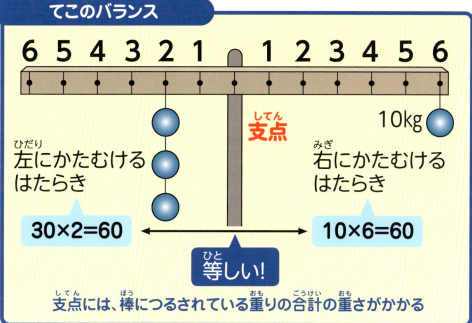

支点には、棒につるされている重りの合計の重さがかかる

わかる！POINT

- 支点……………てこを支えるところ
- 力点……………てこに力を加えるところ
- 作用点…………てこに加えた力がはたらくところ

- てこ……………棒状の物を利用した、少ない力で大きな物を動かすしくみ
- てこのつりあい…左右の重りの重さ×支点までの距離が同じとき

69

No.4 **磁石❶**

理科がもっと好きになる

ここからはじめよう！

磁石のN極とS極の特性を使ったモーター

大きな磁力を発生させると大きな物まで動かせます。

永久磁石と電磁石でできたモーター

　プラモデルなどに使う小さいモーターの場合、永久磁石と電磁石を使っています。導線に電流を送ると、導線のまわりに発生したN極とS極が永久磁石のN極とS極に反応して、反発したり引き寄せ合ったりします。導線への電流を入れたり切ったりすることで反発や引き寄せが繰り返され、モーターは回転します。

　導線の部分をコイル状にすると、より強い磁力ができるので、モーターの回転する力も強くなります。強い力を出せる大型のモーターは導線の巻きを多くするため、コイルの部分が大きくなっています。さらに強い力を必要とするモーターの場合は、永久磁石の部分も電磁石にして、より強力な反発や引き寄せを発生させています。

①コイルに電気を流して電磁石にすると、電磁石のN極とS極が、両側の磁石と引き合って回転する。

②半分回転したところで、電気を逆向きに流すと、電磁石の極が入れかわり、両側の磁石と反発し合って回転する。

知ってる？！理科のタネ　電磁石の発見はいつのこと？

　1820年、デンマークの物理学者、ハンス・クリスティアン・エルステッドが電気を通した導線の近くに置いた磁針が振れる実験で、電流の磁気作用を発見したのをきっかけに、この年いろいろな学者によって電磁石について発表されました。

エネルギー編

電磁石を使った技術

●リニアモーターカー

磁石の反発や引き寄せを利用した最新技術じゃ

磁石の反発と引き寄せを直線運動や物体を宙に浮かせる技術に応用しています。

Photo/Globalism Pictures

●電気自動車

モーターが回転する力でタイヤを回して走ります。
Photo/Alan Trotter

●スピーカー

Photo/stantontcady

電磁石と繋がっているスピーカーの膜が、永久磁石に反応した電磁石の振動を増幅させて音を出しています。

●携帯電話のバイブレーター

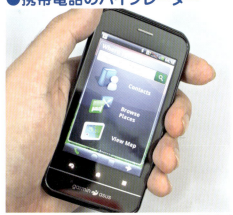
Photo/liewcf

モーターが回転する軸に重りをつけて、振動させています。

71

No.4 **磁石❷** しくみがわかる

電流によって変わる電磁石

電気を使って磁石ができる

詳しく知りたい！

磁石の種類

　磁石とは、N極とS極を持ち、磁場を発生させる物体のことをいいます。鉄などを引き寄せる性質を持ち、磁石同士を近づけると、異なる極は引き合い、同じ極は反発し合います。地球は北極地方にS極、南極地方にN極を持っているので、磁石のN極を北へ、S極を南へ引き寄せます。この性質を利用したものが方位磁石です。また、磁石には永久磁石と電磁石があり、それぞれ磁石としての性質は変わりません。

▲永久磁石　　　　▲電磁石　　　　▲方位磁石

永久磁石と電磁石の違い

永久磁石	電磁石
常に磁石の性質を持っている	電気が流れているときだけ磁石になる
磁石の力を変えることはできない	電流を大きくしたり、コイルの巻き数を増やすと磁石の力が強くなる
N極とS極は決まっていて、極の入れ替えはできない	電流の向きや、コイルの巻きの方向でN極とS極が決まるので、極を入れかえることができる

エネルギー編

磁力線

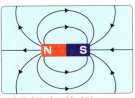
▲永久磁石の磁力線

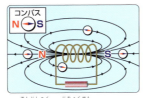
▲電磁石の磁力線

導線をコイル状にして、電流を流すと永久磁石のような磁力線ができます。電流が流れている間だけ磁石としてはたらきます。

電磁石の力を強くしてみよう!

1 コイルに流す電流を強くする

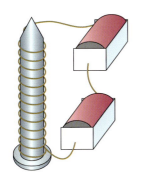

電磁石に流す電流を強くすると、磁力も強くなります。

2 コイルの巻き数を多くする

コイルの巻き数を増やすと、小さい磁石をたくさん集めたことになります。巻いたコイルの上に、さらにコイルを重ねて巻き、2重や3重巻きにするとさらに磁力は強くなります。

3 コイルを密に（きれいに）巻く

きちんと導線を巻いたコイルは、磁石のはたらきができた導線を、たくさんたばねたことになるので、磁力が強くなります。

わかる！POINT

永久磁石……常に磁石の性質を持っていて、磁力を変えることはできない。方位磁石に使われているのが永久磁石

電磁石……電流の大きさや向きによって、磁力や極が変わる。モーターや鉄を移動するクレーンなどに使われている

73

No.5 電池のしくみ❶

理科がもっと**好き**になる

ここからはじめよう!

電池のつなぎ方で、電気の力が変わる

電池は種類もいっぱい。どんな電池があるのか調べてみましょう。

明るくなる電池のつなぎ方は?

かん電池をどのようにつないだらまめ電球は明るくつくのかな?

かん電池の並列つなぎ

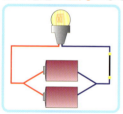

かん電池をならべて、並列につないでも、まめ電球の明るさは変わりませんが、かん電池は長持ちします。

かん電池の直列つなぎ

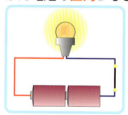

かん電池をまっすぐにつないだとき、かん電池の数が多いほどまめ電球は明るくなります。

応用 かん電池2個、まめ電球2個の場合

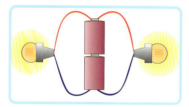

それぞれのまめ電球には、かん電池2個分の電気が流れます。

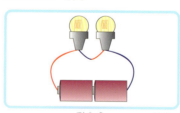

それぞれのまめ電球には、かん電池1個分の電気が流れます。

並列と直列は基本だからしっかり覚えよう

知ってる⁉理科のタネ 太陽電池の仕組み

電気的に特性が違う2つの半導体に光を当てると、半導体の中の電子が反応し動き始めます。2つの半導体は特性が違い、電子の量に差が生じるため、電子が流れ発電します。この現象は1800年代にはわかっていましたが、20世紀に入ってからアインシュタインが初めて科学的に証明しました。

エネルギー編

電池の種類

●化学電池

化学電池は内部の化学反応によって電気を起こし、その電気エネルギーを取り出す電池で、一次電池、二次電池、燃料電池の3種類に分類されます。普段よく目にするかん電池や充電式電池など、「電池」といわれるものは、ほとんど化学電池です。

Photo/moria

●物理電池

物理電池は、化学反応を行わずに、光や熱などのエネルギーを電気エネルギーへ変換する変換装置です。太陽電池がこれにあたり、無限ともいえる太陽光エネルギーを利用しています。

砂漠などでは、太陽光を使った発電所建設の計画がすすめられているのじゃ

Photo/Port of San Diego

●生物電池

生物電池は、生体触媒(酸素やクロロフィルなど)や微生物を使った生物化学的な変化を利用して電気エネルギーを発生させる装置です。生物太陽電池や生物燃料電池などの種類がありますが、まだ研究段階のため、今後の展開に期待がかかっています。

▶SONYで開発中のバイオ電池試作機を使用したタカラトミーの玩具試作品

Photo/タカラトミー

No.5 電池のしくみ❷
しくみがわかる

詳しく知りたい！

電池は電気の発生装置
身近なものを使って電池をつくってみよう

化学変化で電流が発生

電池は電解質の水溶液と種類の違う金属があればつくることができます。水溶液で金属が分解すると、イオンと電子が発生します。分解の速さの違う金属を使うと電子の流れが発生し、電気を取り出すことができます。最初に電池を発明したボルタの電池は、薄い硫酸、亜鉛板、銅板を使っていました。

ボルタ電池

① 亜鉛板を薄い硫酸に入れると、亜鉛板が溶け亜鉛イオンとなります。
② 亜鉛イオンは亜鉛板に－の性質を持つ電子を残して水溶液に溶けだします。
③ 亜鉛板に残った電子は、導線を通って＋の性質を持つ電子のある銅板の方へ移動します。こうして電子が亜鉛板から銅板へ流れることで電気の流れができます。

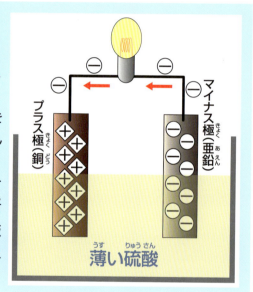

アレッサンドロ・ボルタ

イタリアの物理学者で、1800年にボルタ電池を発明。電圧の基本単位V（ボルト）はボルタが語源。

エネルギー編

金属のイオン化

金属にはイオンになりやすい・なりにくいの順番があり、先にイオン化する金属が一極となります。2種類の金属のイオンになりやすさのちがいによって電流を取り出すことができます。したがって、同じ種類の金属を使うと電池はできません。

イオンになりやすい金属の順番

①マグネシウム　②アルミニウム　③亜鉛　④銅

◀◀◀イオンになりやすい　　　イオンになりにくい▶▶▶

簡単電池でわかる電池の原理

用意するもの
1円玉・10円玉
濃い食塩水をしみ込ませたクッキングペーパー

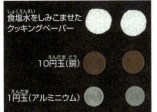

この電池を何個か重ねることでパワーがでるので、まめ電球も簡単に点きますよ。

わかる！POINT

① 金属が水溶液で化学分解すると一の電子を帯びたイオンが発生する

② イオン化する速さの違う金属をつなぐことで、電子の流れが発生する

③ イオンになりやすい金属が一極で、なりにくい金属が＋極になる

④ 同じ金属を使うと、電池はできない

No.6 電気・電流 ❶

電気の大きさは電流と電圧で決まる

大きなもの、ハイパワーのものは大きな電圧・電流が必要です。

電圧と電流の関係

家庭の電化製品のほとんどは100Vで動きます。ラジオからエアコンまで同じ100Vです。違いは100Vの電気をたくさん必要とするか、しないかの違いです。

ラジオなどの場合（電流、100V×4）

エアコンなどの場合（電流×5、100V×10）

つまり電気の流れ（電流）に多くの100Vを必要とする大きな機械と、少しの100Vを必要とする機械になります。その単位がW（ワット）で、消費電力と呼ばれています。

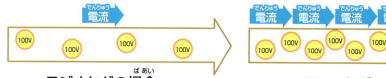

消費電力（W） ＝ 電圧（V） × 電流（A）

一般的に家にあるブレーカーは100Vのものですが、電気機器の種類や、どのぐらいの機器を一度に使うかなどで電流の量が変わってきます。電気の使用者は電力会社との間でどのぐらいの電流が必要か、最初に契約しています。

知ってる？！ 理科のタネ

高電圧の健康器具・治療器具はなぜ安全？

100Vのコンセントによる感電事故は多数あります。しかし、「電子針」などと呼ばれている肩こり治療に使われる電圧は、約10000V。電圧が100倍も違うのに、100分の1小さいコンセントの方が危険なのはなぜでしょうか。これは、電圧は高いが、流れる電流が少ないためです。

エネルギー編

いろいろな電圧で動くもの

●自動車

バイクや自動車は普通12Vの電圧でエンジンが動き、走ることができます。しかし、トラックやバス、工事現場の重機のように、大きな力を必要とするものは、エンジンも大きいため、24Vの電圧が必要です。

Photo/Monica's Dad

Photo/twicepix

大きな力（エネルギー）を必要なものは、電流・電圧も大きくなる

●工場機械

工場などで使われている工業用機械のほとんどは200V以上の電圧が必要です。自動車工場などにある圧縮空気を送るコンプレッサーも200Vの電圧が必要な物がほとんどです。大きな機械になるほど大きな電圧が必要になります。

Photo/fudj

●鉱石ラジオや黒電話

昔 使われていた鉱石ラジオや黒電話は、受信した電波や電気信号で動いていました。機能はあまりついていませんが外部電源を必要としない機械で、特に鉱石ラジオは約0.2Vで作動します。鉱石ラジオは科学実験用の教材として今でも使われています。

Photo/fw190a8

Photo/ben124

79

No.6 電気・電流❷
しくみがわかる
詳しく知りたい！

電流と電圧の違い
電流と電圧を測って調べよう

電流

電気の通り道のことを電気回路といい、この電気回路を電気は＋から－へ流れます。この電気の流れが電流です。

電流計を使うと、電流の向きと強さを調べることができます。電流計は回路に直列につなぎます。決して電池だけをつないではいけません。電流の流れの大きさは、A（アンペア）という単位で表します。

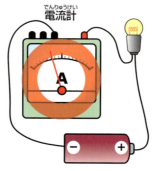
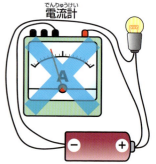

モーターで電流の向きを調べる

モーターを使った電気回路で電池の向きを変えてみると、モーターは逆回りをします。これは＋から－へ流れる電気の向きが変わったためです。このとき電流計の示す向きも左右反対に変わります。また、電池の数を増やすことで電流の大きさも変わっていることがわかります。

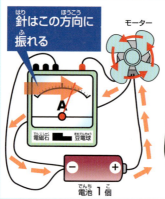
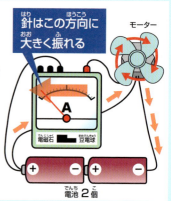

エネルギー編

電圧

電圧とは電気を押し出す強さのことです。押し出す力が強いと強い電気を流すことができます。

電圧は測定地点での電気を押し出す力を測るものなので、測定地点に並列につなぎます。電圧の大きさは、V（ボルト）という単位で表します。

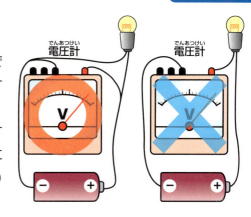

電流と電圧を測る

電池を2個直列につなぐと、電流・電圧とも2倍になります。

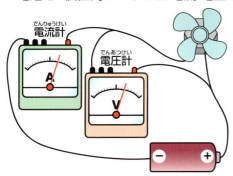
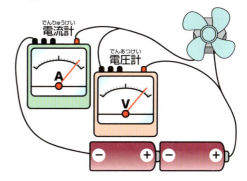

電流計は回線にどのぐらいの電気が流れているかを調べるので直列でつなぎ、電圧計はモーターなどにどのぐらいの電気の力がかかっているかを調べるので並列つなぎになります。

わかる！POINT

① 電流とは＋極から－極に流れる電気の流れのこと

② 電流計は電流の向きと強さを調べることができ、回路に直接つなぐ

③ 電圧計は測定地点での電気を押し出す力を測ることができ、測定地点に並列につなぐ

No.7 発電と電気の利用❶

理科がもっと好きになる

ここからはじめよう!

発電所でつくられた電気の流れ

発電所でつくられた電気はどのように使われているのか調べてみましょう。

発電所でつくられた電気の使われ方

各発電所で発電した電気は、送電線、変電所、配電線などを通り、みんなの家庭へ送られるのじゃ

▲水力発電所　Photo/DaisukeYamagishi
▲火力発電所　Photo/contri
▲原子力発電所　Photo/ayumu_k
▲風力発電　Photo/mikebaird

① 電気の旅のスタートは、電気をつくる発電所です。主な発電所には水力発電所、火力発電所、原子力発電所があります。

知ってる?! 理科のタネ

期待される自然エネルギー

自然から得られるエネルギーを利用した発電システムは安定しないものが多く、補助的に利用されていますが、資源の枯渇の心配がなく、地球温暖化への対策としても有効とされています。例として、水力・風力・太陽光・マイクロ水力・バイオマス・バイオ燃料・地熱・潮力・海流・波力などを利用した発電システムがあげられます。

エネルギー編

②発電所では、数千V〜2万Vの電圧の電気をつくりますが、これを発電所に併設された変電所を使って、送電に効率のよい27万5000V〜50万Vという超高電圧に変電して送電線に送り出します。変電を繰り返して徐々に電圧を下げるのは、発熱による送電ロスを少なくし、長距離の区間を効率的に送電するためです。

▲変電所と送電線
Photo/kayakaya

▲電車
Photo/kalleboo

③6万6000V〜15万4000Vに変電された電気は、一部が鉄道会社や大規模工場に送られて各企業内の変電設備で必要な電圧に落とされます。残りは中間変電所に送られ、さらに低い2万2000Vに変電されます。この段階で、大規模工場やコンビナートに電気が供給されます。

④2万2000Vに変電された電気は次に配電用変電所へ送られ、6600Vに変電されて大規模なビルや中規模工場へ配電されます。また、この電圧（6600V）で街中の電線にも配電されます。6600Vになった電気は電柱の上にある柱状変圧器（トランス）で100Vまたは200Vに変圧され、引込線から各家庭へと送られます。

▲柱上変圧器
Photo/sekido

電気は24時間365日、休むことなく送り続けられているのじゃ。電気の速度は光の速さと同等といわれ、一秒間に地球を約7周半（毎秒約30万km）回るほどの速度があり、発電所で生まれた電気は一瞬にしてみんなの家庭へと届けられているぞ！

No.7 発電と電気の利用❷
しくみがわかる

詳しく知りたい！

電気をつくる、貯める、使う
電気エネルギーを有効に使う方法

電気をつくって、貯める

電気を有効に使うには、必要な時必要なだけ使えるように、つくっておくことが必要になります。また、電気のエネルギーを必要なエネルギーに、そしていかに効率よく変えるかが大切です。私たちの生活で使われる電気はどのようにつくられ、使われているのでしょうか。

電気をつくる

●発電機
発電機を回すことによって電気をつくる。自転車の発電機、発電所（水力、火力、風力、原子力など）の発電機、手回し発電機。

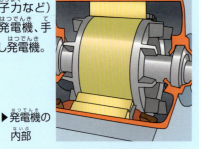

▶発電機の内部

●太陽電池（光電池）
光を当てることにより電気をつくる。宇宙衛星や建物の屋根などに付ける大型のものから、電卓などに付いている小型のものまである。

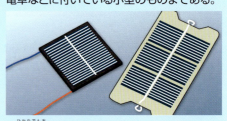

▲光電池

わかる！POINT

① 発電機や太陽電池での発電が一般的

② 充電池や蓄電バッテリーのほか、コンデンサでの蓄電の研究が進んでいる

③ 電気はそのままでは使える範囲が限られるが、いろいろなエネルギーに変えることで用途が広がる

エネルギー編

電気を貯める

●蓄電用コンデンサ
電子機器のメモリーや時計回路における
バックアップ電源のほか、小型宇宙衛星の
蓄電用に使われている。ハイブリッドカーや
電車への応用にも研究が続いている。

●充電池、蓄電用バッテリー
かん電池型のものから携帯電話のバッテリー
などのほか、自動車用のバッテリーや、最近で
は太陽電池でつくられた電気を貯める家庭用
の蓄電用バッテリーもある。

▲蓄電用コンデンサ

▲自動車のバッテリー

電気エネルギーの変換

電気はそのままではただビリビリくるだけのものです。電気エネルギーを違うエネルギーへと変換することで、とても便利なものになります。

●光への変換　電球、蛍光灯、LEDなど

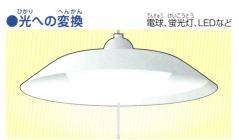
▲照明

●音への変換　ラジオ、電話、CDプレーヤーなど

▲ラジオ

●熱への変換　電気ストーブ、トースター、アイロンなど

▲電気ストーブ

●運動への変換　扇風機、電気自動車、電車など

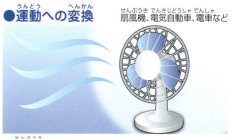
▲扇風機

No.1 ものの重さ・体積❶

同じ体積でも特性により使いわけられる

ものの体積の特性を利用することでいろいろなものに利用できます。

ペットボトル噴水で空気の体積を調べよう!

ペットボトルの中に水と空気を入れ、空気の体積を増やしてあげると水が噴水のように噴き出します。ペットボトルの中の体積は決まっているので、空気の体積を増やすと水が押し出されるのです。このとき噴水のように出てきた水の体積が空気の体積となります。

❶ペットボトルの上の方にストローが入るぐらいの穴を2つあけます。ひとつには長いストローを刺し、もうひとつには短いストローを刺します。

❷ストローを刺したところから空気が漏れないようにテープで隙間をふさぎます。

❸ペットボトルに水を半分ぐらい入れ、長いストローの先が水の中に入るようにします。

❹短い方のストローから息を吹き込むと、体積が増えた空気に押し出されて、長いストローから水が出てきます。

❺出てきた水がペットボトルに吹き込んだ空気の体積です。

水が出てくる　息を吹き込む

※実験は水にぬれても大丈夫な場所で行いましょう。

知ってる？！理科のタネ

金に銀を混ぜたことを暴いたアルキメデス

今から2200年以上前の古代ギリシアの物理学者アルキメデスは、金細工の職人が、王冠をつくるために王から授かった金の一部を同じ重さの銀に差しかえていないか確かめるため、渡した金と同じ量の金と、王冠を水の中に入れ、溢れだす水の量を測りました。すると王冠の方が多く水が溢れ出しました。金と銀では同じ重さの場合、銀の体積の方が大きくなるからです。

粒子編

ものの体積の特性を利用したもの

①飛行機

飛行機の機体にはアルミニウムなどが多く使われています。鉄は丈夫で加工しやすいのですが、アルミニウムなどと比べると、同じ体積でも重くなってしまいます。飛行機の機体には多くの金属を使うため、鉄などを使わず、アルミニウムのような軽くて丈夫な金属を使用しています。

同じ体積でもものによって重さが違う

Photo/woinary

②圧縮袋

布団から空気を抜くことで、空気の体積がなくなり、布団全体の体積を小さくしています。ただし、空気にはほとんど重さが無いため、体積は小さくなっても重さは膨らんでいたときの布団と変わりません。

布団の体積だけが残っている状態

③バルーンアート

1本の風船を自在に変形させて、動物などをつくるバルーンアート。1本の風船に入っている空気の形はいろいろ変わっていますが、空気の体積は変わりません。

同じものであれば、形を変えても体積・重さは変わらない

Photo/Ed Yourdon

87

No.1 ものの重さ・体積❷
しくみがわかる

ものには必ず重さと体積がある

詳しく知りたい！

形が変わっても重さ・体積は変わらない

ものと体積

ものには必ず**体積**が存在します。目に見えない空気にも体積は存在します。ビニール袋に空気を入れて、ビニール袋の口を閉じると袋の中に空気が閉じ込められます。ビニール袋に入れることで、ビニール袋に閉じ込められた空気の体積を見ることができます。このようにものには必ず体積が存在します。

袋に閉じ込めた空気の体積

体積と重さ

同じ 大きさ、形の
鉄　アルミニウム
重い ＞ 軽い

体積が大きければ必ずしも重いとは限りません。まったく同じ大きさでまったく同じ形の鉄の棒とアルミニウムの棒の体積は同じです。では**重さ**はどうでしょう？手に持ってみると鉄の方が重いことがわかります。アルミニウムを同じ重さにするには約3倍の長さになります。このように同じ大きさ、同じ体積であっても、ものによって重さは違ってきます。

粒子編

形が変わると体積は変わるの？

メスシリンダーに水を入れ、その中に粘土を入れてみます。粘土を増やしたり減らしたりしなければ、粘土の形を変えても水面の位置は同じになります。このことから、ものの形が変わっても体積は変わらないことがわかります。

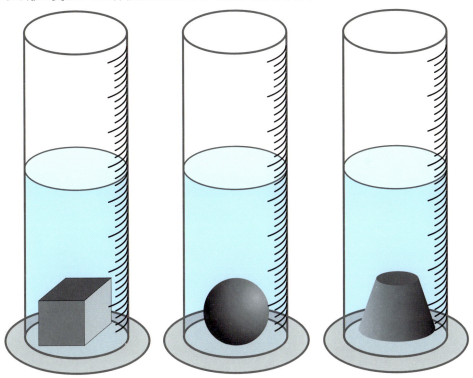

風船に水を入れて栓をしたものを、いろいろな形にしても風船の中に入っている水の量(体積)は変わりません。このことからも形を変えても体積が変わらないことが確かめられます。

※実験する時は風船が割れないように注意しましょう。

わかる！POINT

①ものには必ず体積が存在する

②同じ形、同じ体積でも、ものが違うと重さは違う

③ものは量を増やしたり減らしたりしなければ、形を変えても体積は同じ

No.2 水と空気の性質❶

理科がもっと好きになる

試してみよう！

閉じ込めた空気と水の違い

圧縮空気のパワーがいろいろと活用されています。

圧縮空気の力がわかるペットボトルロケット

ペットボトルにちょっと手を加えるだけで、圧縮空気と水を燃料としたロケットができます。圧縮された空気が一気に水を押し出し、その力でロケットが飛びます。さあ！チャレンジしてみましょう！

用意するもの

・500mlのペットボトル（1本）
・ペットボトルの口をふさげるゴム栓（1個）
・ストロー（1本）
・針金のハンガー（1本）
・キリ　・ビニールテープ
・厚紙　・空気入れ
・ボール用空気入れノズル

※条件が整えば50m以上飛ぶので広いところで実験しましょう。
※水の量を変えていろいろ試してみましょう。
※人に向けての発射は危険です。絶対にやめましょう。

つくりかた

❶ゴム栓にキリで穴を開けボール用空気入れノズルを指し込み、空気入れを接続する。

❷ロケット発射用のストロー、厚紙でつくったロケットの頭と羽の部分をビニールテープで貼り付ける。

❸ロケットに水を1/5ほど入れてから、空気入れの付いたゴム栓をしっかりと差し込む。

❹ハンガーで作った発射台にロケットをセットして、空気を送る。

知ってる？！理科のタネ

どんなものも力を加えると圧縮します。

気体に対して液体や固体はほとんど圧縮されないので、非圧縮物質となっています。ちなみに、1㎥の空気を0.5㎥にする力で、1㎥の水を押すと、45㎤水が圧縮されます。日本酒を飲むときに使うおちょこ一杯分ぐらいです。鉄だと水の1/100ぐらいになります。

粒子編

水と空気の性質を利用したもの

①自動車のブレーキ

自動車のブレーキにつながっているホースには、ブレーキペダルを踏んだ力がそのまますぐにブレーキに伝わるように液体（油）が入っています。ホースに空気が入るとブレーキの効きが悪くなります。

液体は体積が変わりづらい

Photo/sarchi

②消火器

消火器のボンベの中には圧縮空気の詰まったカプセルが入っています。消化するときレバーを握ることでカプセルに穴が空き、圧縮された空気が一気に放出されて消火用の粉や泡がノズルから出てきます。

圧縮された気体は爆発力が大きい

③空気圧縮タイプの水鉄砲

水鉄砲の水タンクに圧縮空気を入れ、一気に水を押し出すようになっています。圧縮空気をいっぱい溜めることで、より多くの水を勢いよく長時間飛ばすことができます。

圧縮した空気で水を飛ばす！

No.2 **水と空気の性質❷**

しくみがわかる

詳しく知りたい！

空気は縮みやすいが水はほとんど縮まない
圧縮された空気は一気に元に戻る

空気

　閉じ込められた空気に力（圧力）を加えると空気の体積は小さくなります。体積が小さくなった空気には元の体積に戻ろうとする性質があるため、押し返す力が発生します。閉じ込められた空気にさらに力を加えると、空気はさらに押し縮められ体積は小さくなります。

　このように空気を、小さく押し縮めるほど、元に戻ろうとする力が大きくなります。

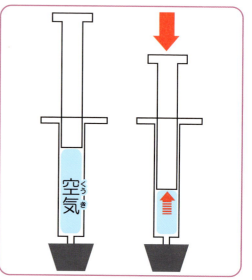

水

　閉じ込められた水に力（圧力）を加えても水の体積はほとんど変わらないので、押し返す力もほとんど発生しません。水は空気と違ってほとんど押し縮めることはできないので、非圧縮物質と呼ばれます。

※水と空気を一緒に閉じ込めて力を加えると、空気を押し縮めることはできますが、水を押し縮めることはほとんどできません。

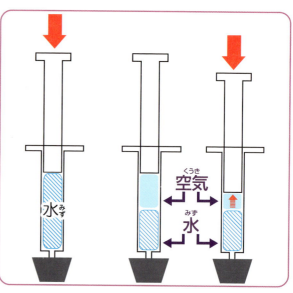

粒子編

空気鉄砲で確かめる

空気鉄砲は、押し縮められた空気が元に戻ろうとする力により、玉が勢いよく飛び出します。ゆっくりと空気を押し縮めても、空気は一気に元に戻ろうとするので、玉は勢いよく飛び出します。空気の代わりに水を入れてみましょう。ゆっくり押すと、そのままゆっくりした力が玉にかかるので、勢いよく飛び出すことはありません。

空気鉄砲の力はこんなしくみなのね！

空気に力を加えて空気の体積を小さくしたものを圧縮空気といいます。大きな力で空気を圧縮すると、元に戻ろうとする力も大きくなります。勢いよく空気を出し続けたいときは大きな力で圧縮された圧縮空気をたくさん用意しておきます。

わかる！POINT

① 閉じ込められた空気に力を加えると、空気は縮む
② 閉じ込められた水に力を加えても、水はほとんど縮まない
③ 縮んだ空気（圧縮空気）は、一気に元の大きさに戻ろうとする

No.3 水の三態変化❶

理科がもっと好きになる

ここからはじめよう！

自然の中で見る水の三態変化

水の三態変化が起こっているものを探してみましょう。

大きな氷山が水に浮かぶのはなぜ

水が固体（氷）になるとき、水分子がすきまを開けて結合するため、同じ体積の水と氷では氷の方が軽くなります。そのため氷山は沈まず海に浮いています。飲みものに入れた氷が浮かぶのも同じことです。

▶氷山

Photo/Oscarr

水は岩石も砕く

Photo/Arenamontanus

水は氷になると体積が増えます。岩石の亀裂にしみこんでいた水が凍結し、体積を増すことで亀裂を押し広げます。そしてこれを繰り返すうちについに岩石が割れるのです。

◀凍った岩石

知ってる❓❗ 理科のタネ

水の特性が生物を育てている

水の温度を1℃上げるのに使われる熱エネルギーで、食用油などは約2℃上げることができます。水は温まりにくく、冷めにくい物質なので、海や川の水は気温の変化で急な温度変化を起こさないのです。生物が住める環境はこうしてできています。

粒子編

山も崩れる水蒸気爆発

地下水とマグマが接触することで、地下水が急に熱せられ、水蒸気となり、体積が一気に増え爆発を起こします。大きな水蒸気爆発は、山を吹き飛ばし、山の形を変えてしまうぐらいの威力があります。

▶水蒸気爆発
Photo/REDFISH1223

湖や池の水は、表面から凍り始める

◀湖の氷
Photo/D'Arcy Norman

水は3.98℃のときに1番重くなります。そのため気温が下がり水温が3.98℃にむかって下がると、水はどんどん重くなり、下の方へ移動します。3.98℃から更に冷えると今度は軽くなり、上に移動し水面から凍結し始めます。

スケートが氷の上で滑るのはなぜ

スケート靴の刃と氷の間に水があり、その水が潤滑剤の役割をしているからです。しかしスケート場は水浸しになっていません。氷に圧力をかけると、氷の融点（固体が溶けはじめる温度）が下がるためです。

Photo/pointnshoot

圧力

氷に圧力がかかると、融点が下がり、氷は溶けて水になる。圧力がなくなると水はすぐ氷に戻る

95

水は3つに変化する

同じものでも環境により違うものに変わる

水の三態変化

　水を冷やせば氷になり、氷に熱を加えると水に戻り、さらに熱を加えていけば水蒸気になります。これを水の三態変化といいます。水は水素原子2つと酸素原子ひとつが結び付いた水分子が集まってできています。水素原子はプラスの電気を帯びていて、酸素原子はマイナスの電気を帯びているので引き寄せ合っています。

※原子とはものをつくっている最小の粒です。原子が集まってできたものが分子になり、さらに分子が集まってさまざまなものになります。

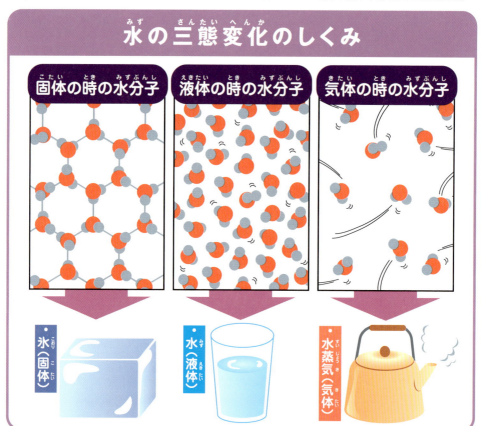

粒子編

水（液体）

水が液体の状態であるのは、1気圧のもとでは、その温度が0℃〜約100℃までの間です。水が液体の間、水分子は集団でひとつの固まりになったり、崩れたりしながら、いろいろな方向に向かって自由に運動しています。水が様々な形に変化できるのは、分子がこのように自由に動いているためです。

水蒸気（気体）

水に外から熱を加えていくと、水分子の運動が激しくなり、水分子は集合した固まりでいられなくなってきます。1気圧のもとでは約100℃を超えると水蒸気になります。沸騰したやかんの口から出てくる透明な気体が水蒸気で、白い煙状に見えるのは水蒸気が冷えて水の粒になり液体となったためです。

氷（固体）

水が1気圧のもとで0℃以下になると、水分子は動きをとめて互いに結合します。しかし水分子は曲がった形をしているため、すきまが多い形で結合します。そのため水が凍ると体積が増すのです。普通の液体は固体になると体積は小さくなりますが、固体になると体積が増えるのは水の特性です。

水（液体）から水蒸気（気体）になるのは、1気圧のもとでは100℃といわれているんだって。「1℃」の定義が見直されて、現在厳密には99.974℃に定義されているそうだよ

わかる！POINT　1気圧のもとでの水の三態

- **液体**………… 0℃〜約100℃までの間で、水分子の動きは自由
- **気体**………… 約100℃を超えた状態で、水分子は激しく動いている
- **固体**………… 0℃以下の状態で、水分子はすきまを開けて固定される

No.4 水溶液①

理科がもっと好きになる

ここからはじめよう！

身近にある酸性とアルカリ性を探してみよう！

酸性とアルカリ性が混ざるとどうなるのかな。

塩酸との反応

塩酸（酸性の水溶液）の中にアルミニウムを入れると、水素の泡を発生させながら塩酸に溶けていきます。アルミニウムが溶けた水溶液を加熱し、水分を蒸発させると、白っぽい粉が残ります。この粉を塩酸の中に入れると、溶けて見えなくなりますが、泡は出ません。このことから、アルミニウムが別のものに変わったことがわかります。（塩化アルミニウムに変化）

水酸化ナトリウム水溶液との反応

塩酸のときと同じように水酸化ナトリウム水溶液（アルカリ性の水溶液）の中にアルミニウムを入れると、アルミニウムは水素の泡を発生させながら溶けていきます。同様に水溶液を蒸発させると白い粉が残りますが、アルミニウムとは別のものに変わっています。（アルミン酸ナトリウムに変化）

アルミニウムが溶けた塩酸や水酸化ナトリウム水溶液を蒸発皿に入れ加熱し、水分を蒸発させると白い粉が残ります。

※酸性で溶ける金属は多いですがアルカリ性で溶ける金属は多くありません。アルミニウムは酸性にもアルカリ性にも溶ける金属です。

知ってる理科のタネ

水溶液の濃さと重さと体積

水溶液の重さは水の重さと、溶かしたものの重さになります。水溶液の体積はほとんど増えませんが、重さは重くなります。濃い水溶液ほど重くなります。ただし、水よりも軽いアンモニアやアルコールの場合、濃い水溶液ほど軽くなります。

粒子編

中和

中和とは、酸性とアルカリ性の水溶液を混ぜて、たがいの性質を打ち消しあい、中性の水溶液ができる反応のことをいいます。

塩酸と水酸化ナトリウム水溶液の中和方法

酸性水溶液
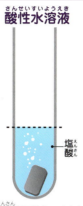
❶塩酸にアルミニウムを入れると水素が発生。

中性水溶液
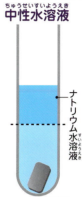
❷ナトリウム水溶液をある量まで入れると水素の発生がなくなる。

アルカリ性水溶液
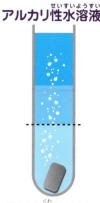
❸さらに加えるとまた水素が発生する。

時間をかけすぎると飽和水溶液になり泡が出なくなるので、手際よく実験するのがコツ！

身近にある水溶液で酸性、アルカリ性のもの

身近にある酸性やアルカリ性の水溶液を探してみましょう！

酸性物質 ・レモン汁 ・酢

Photo/debaird

アルカリ性 ・石けん水 ・重そう

Photo/Arlington County

強い酸性やアルカリ性の水溶液は、岩やコンクリートも溶かしてしまうんだ。環境破壊にもなるので、中性の状態に近付けてから捨てるようにしよう。

99

No.4 水溶液❷
しくみがわかる

詳しく知りたい！

ものが水に溶けて水溶液になる

溶けたものはどうなったの？

水溶液とは

水にものが溶けて、透き通って、どこも均一な濃さになっている透明な液体を水溶液といいます。水溶液は、どろみずなどと違ってろ紙でこしても溶けているものを取り出すことはできません。ものを溶かしている液体（水）を溶媒といい、溶けているものを溶質といいます。溶質には固体のものも気体のものもあります。

水溶液であるための条件

① 透明である
水に色が付いていたとしても、透き通っていなければならない

② 均一に溶けている
溶けたものは水の中を均一に散らばっている

水溶液の性質

水溶液は、アルカリ性、酸性、中性の3つの性質に分けることができます。一般的に酸っぱい水溶液が「酸性」、苦い水溶液が「アルカリ性」、その他が「中性」となりますが、口に含めないものや触れないものもあるので、リトマス紙や検査試薬を使いましょう。

		リトマス紙の色の変化
酸性の水溶液	酢酸（食用酢）、炭酸水（二酸化炭素が溶けた水溶液）、塩酸（塩化水素という気体が溶けた水溶液）	青色から赤へ
アルカリ性の水溶液	アンモニア水（アンモニアが溶けた水溶液）、石灰水（水酸化カルシウムが溶けた水溶液）、水酸化ナトリウム水溶液（水酸化ナトリウムが溶けた水溶液）	赤色から青へ
中性の水溶液	食塩水、砂糖水	変化なし

粒子編

ものが水に溶ける限界

　ものが水に溶ける限界の量を溶解度といいます。ものが限界に溶けた水溶液を**飽和水溶液**といいます。水の量が一定の場合、溶質が固体のときは水の温度が高いほど溶解度が高いのが普通です。逆に溶質が気体の場合は、水の温度が高いと溶解度は低くなります。

水溶液から溶質を取り出す

●溶質が固体の場合

水溶液を沸騰させて水分を蒸発させた後、残った水溶液を冷やすと溶質の結晶が水溶液の中に現れます。

●溶質が気体の場合

水溶液を温めると、泡が出てきます。その泡が溶質である気体になります。ふたをしてチューブなどで摂取できます。

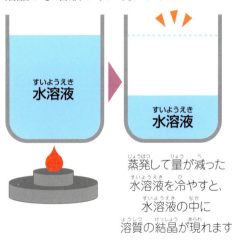

蒸発して量が減った水溶液を冷やすと、水溶液の中に溶質の結晶が現れます

ここから気体がでてきます

わかる！POINT ー 水溶液とは

① ものが水に均一に溶けている

② 濁りが無く透き通っている

③ 酸性、アルカリ性、中性に分類される

101

No.5 燃焼のしくみ❶

理科がもっと好きになる

実験してみよう!

酸素がないと熱くても燃えない?

酸素が多いと炎が出やすく、少ないと炎は出づらくなります。

酸素がないと割り箸はどうなる?

ものは酸素がないと燃えません。酸素がない状態で木をあぶり続けると木炭ができます。木炭には消臭効果もあるので、割りばしでつくった木炭をタンスやシューズケースに入れておくと立派な消臭剤として使えます。

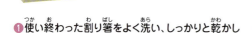

❶ 使い終わった割り箸をよく洗い、しっかりと乾かします。

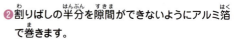

❷ 割りばしの半分を隙間ができないようにアルミ箔で巻きます。

❸ ガスコンロなどでアルミ箔を巻き付けたところをあぶります。割り箸とアルミ箔の間から煙が出てきます。

煙が出てくる

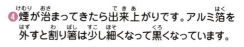

❹ 煙が治まってきたら出来上がりです。アルミ箔を外すと割り箸は少し細くなって黒くなっています。

注 実験をするときは、必ず先生やおうちの人と一緒にやりましょう

※出てきた煙は火が付きやすいので火が付かないようにしましょう。
※出来上がった炭は十分に冷やしてから使いましょう。
※アルミ箔は熱くなっているので注意しましょう。

知ってる理科のタネ

割り箸木炭が細くなったのは?

割り箸をあぶった時に出てきた煙は、木ガスと木酢液が気体になったものです。できあがった時、アルミ箔の内側には木タールが付いています。割り箸はこれらのものと木炭に分かれたので、細くなったのです。

粒子編

酸素を多くしてよく燃やす

鍛冶屋のふいご

空気をふいごで送ることで酸素が多くなり、炎が大きくなりよく燃える

ふいご（送風機）で火の付いた炭に空気（酸素）を送ることで、火の温度を上げ、鉄を温めます。

酸素を少なくして炎を出さないように燃やす

炭窯

空気がほとんど入らないように、入口をふさいで木をあぶる

木炭は空気が入らないように木をあぶってつくるので、土地の傾斜を利用した炭窯もあります。乾燥した木を詰め込み火の付いた木炭を入れたのち、入口をふさぎます。

No.5 燃焼のしくみ❷
しくみがわかる

詳しく知りたい！

酸素を使ってものは燃える

ものをよく燃やすにはどうすればいいの？

ものが燃えるしくみ

びんのなかでろうそくを燃やすと、そのうち火は消えてしまいます。空気は、約80％のちっ素と約20％の酸素からできていて、そのうちの酸素を使ってものは燃えます。使われた酸素は二酸化炭素に変わります。二酸化炭素に反応する石灰水を入れてびんを振ると、石灰水が白く濁ることで確認できます。

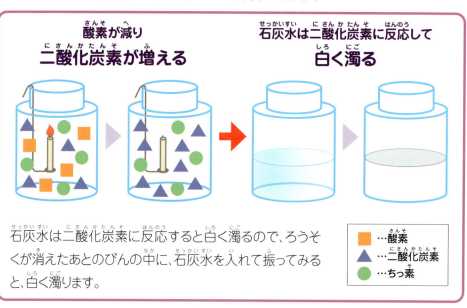

酸素が減り二酸化炭素が増える

石灰水は二酸化炭素に反応して白く濁る

石灰水は二酸化炭素に反応すると白く濁るので、ろうそくが消えたあとのびんの中に、石灰水を入れて振ってみると、白く濁ります。

■…酸素
▲…二酸化炭素
●…ちっ素

ものは酸素を使って燃えるので、びんの中の酸素を多くするとろうそくは激しく燃えます。

酸素のつくり方

「二酸化マンガン」に「うすい過酸化水素水」を注ぐと、酸素ができます。

粒子編

ろうそくの燃えるしくみ

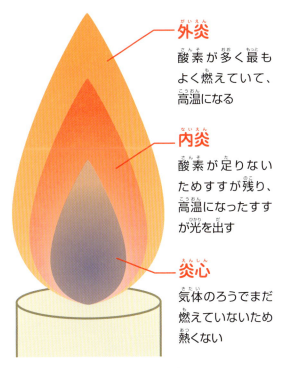

- 外炎: 酸素が多く最もよく燃えていて、高温になる
- 内炎: 酸素が足りないためすすが残り、高温になったすすが光を出す
- 炎心: 気体のろうでまだ燃えていないため熱くない

❶ 固体のろうが熱せられて液体になる

↓

❷ 液体のろうが芯を登り気体になる（炎心）

↓

❸ 気体のろうに火が付き高温になるが酸素不足状態（内炎）

↓

❹ 酸素が多く取り入れられて、気体のろうが高温で燃える（外炎）

固体のろうと液体のろうには火はつきません。ろうが溶けて液体のろうが芯を登って行くと、さらに熱せられたろうが気体となりその気体に火が付きます。ですから最初はろうが燃えるのではなく芯が燃え、その熱で気体となったろうが燃えるのです。芯だけではすぐに燃えてしまいますが、液体のろうは燃えないので、芯は一気に燃えることはないのです。

わかる！POINT — ものの燃え方とは

① 酸素が使われることでものは燃える

② ものが燃えた後は酸素が減り二酸化炭素が増える

③ 酸素を多くするとものは激しく燃える

105

No.1 昆虫❶

理科がもっと好きになる

ここからはじめよう!

昆虫のすぐれた特徴を知ろう!

身近な昆虫たちには、ほかの動物とは違った素晴らしい能力があります。

発見!昆虫ピックアップ

昆虫の目は紫外線を感知することができます。例えば人が見てもモンシロチョウの羽でオスとメスを区別することはできませんが、モンシロチョウどうしにはオスとメスではまったく違う色に見えているのです。

昆虫は地球の歴史上で、初めて陸上に進出した動物だといわれておる。恐竜より前の2〜3億年前には、現在のゴキブリやトンボの先祖が登場していたともいわれているんじゃ

人間には見えないものが見える!

▲モンシロチョウ
Photo/Richard Bartz

◀モンシロチョウ頭部
Photo/Richard Bartz

たくさんの個眼が集まってできたトンボの複眼。なんと約270度も周囲を見渡せるのです。

たくさんの眼が集まってひとつに!

◀トンボ複眼
Photo/David L. Green

▶シオカラトンボ
Photo/Michael Becker

生命編

カイコ（カイコガ）は、桑の葉を食べてさなぎのまゆをつくります。このまゆを利用して、昔から絹糸がつくられてきました。

▲まゆをつくるカイコ

▲ミツバチ　Photo/Fir0002

ミツバチは、ハチミツのもとになる花のミツや花粉を見つけると、巣の上でダンスして仲間に距離や方向を知らせることができるんじゃよ

アブラムシの仲間の雪虫は、飛ぶ姿が雪の降る様子に似ています。北海道や東北などの雪国では初雪を知らせる虫といわれているそう。寿命が1週間ほどと短く、人間の体温ぐらいの熱でも弱って死んでしまいます。

▶雪虫の一種・トドノネオオワタムシ
Photo/hiyoko (photost.jp)

知ってる？！理科のタネ

気温0度以下で生活できる昆虫がいる!?

昆虫の仲間には、セッケイカワゲラなどのように気温0度以下の場所でも生活できるものがいます。セッケイカワゲラは、氷雪プランクトンといわれる雪の中の藻や原生動物を食べて生きています。氷に囲まれた南極でも、昆虫はたくましく生息しているのです。

▲セッケイカワゲラ
Photo/E-190

107

No.1 **昆虫❷**

しくみがわかる

詳しく知りたい!

6本足は昆虫の証明!
昆虫のつくり
昆虫が育つしくみと成虫の特徴

昆虫の育ち方は2通り

昆虫が卵から成虫になる過程には2種類のパターンがあります。ひとつは、完全変態といってさなぎになる時期がある場合です。卵から幼虫、さなぎを経て成虫になります。この仲間には、チョウ、カブトムシ、ハチ、アリ、ハエなどがいます。

もうひとつは不完全変態。さなぎの時期がないものです。この種類では、卵から幼虫へ、幼虫から成虫へと育ちます。この仲間にはバッタ、コオロギ、カマキリ、セミ、トンボなどがいます。

昆虫の体

成虫に育った昆虫の体は、頭、胸、腹の3つの部分からなります。そして、胸から6本（3対）の足がはえているのが特徴です。

頭には口、目、触角があります。

昆虫に似ていますが、クモ（足が8本）、ダンゴムシ（足が14本）、ムカデ（頭と胴からなる）などは違う仲間です。

はね

単眼

触角

気門

複眼

口

足

頭　胸　腹

108

生命編

昆虫と似ているけど違う仲間

クモの仲間	**クモ類**は体が頭胸部と腹部の2つに分かれていて、頭胸部に8本の足があります。
エビやカニの仲間	**甲殻類**という仲間です。体が頭胸部と腹部の2つに分かれ、頭胸部に足があります。甲殻類の足の数は10本のものがほとんどですが、なかにはもっと多い生き物もいます。
ムカデの仲間	**多足類**といいます。体が頭部と胴部の2つからなり、胴部にたくさんの足がついています。

クモの仲間

足
頭胸部
腹部
（節がみえない）

エビやカニの仲間

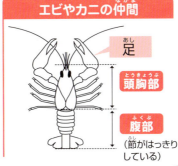

足
頭胸部
腹部
（節がはっきりしている）

ムカデの仲間

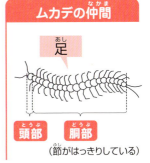

足
頭部　胴部
（節がはっきりしている）

昆虫、クモ類、甲殻類、多足類などをまとめて**節足動物**といいます。節足動物には、次のような共通点があります。

とても似てるけど、昆虫じゃないんだね

① 背骨がない
② 体がかたい殻でおおわれていて、脱皮をくり返して成長する
③ 足に節がある

わかる！POINT

完全変態……成長の過程でさなぎの時期がある

不完全変態……さなぎの時期がない

昆虫の体……頭・胸・腹から成り、胸に6本の足がある

節足動物……昆虫、クモ類、甲殻類、多足類など

109

No.2 植物❶

理科がもっと好きになる

ここからはじめよう！

注目！同じ植物でも花のスタイルはいろいろ

植物が咲かせる花のなかでも、つくりによってさまざまな分類ができます。

植物の花のつくりを見てみよう

花の基本的なつくりは、めしべ、おしべ、花びら、がくという4つの部分からなります。この4つを、花の4要素といいます。

柱頭・子房 — めしべ
花びら
はいしゅ
やく
おしべ
がく

さまざまな花のつくり

花のつくりにも、いくつかの種類があるんじゃ。くわしく紹介しよう

← 完全花

花の4要素が全部そろっている
（例　アブラナ、エンドウ、タンポポ）

▲タンポポ

不完全花 →

4要素のうち、何か足りていない
（例　イネ（花びらがない））

花なのに花びらがない！

▲イネの花

Photo/katorisi

生命編

両性花 ⇔ 単性花

両性花
ひとつの花の中に、
おしべとめしべ両方がある
（例　アブラナ、イネ）

▲アブラナ

単性花
ひとつの花には、
めしべかおしべの一方しかない
（例　ヘチマ、カボチャ）

▲ヘチマの花

離弁花 ⇔ 合弁花

離弁花
花びらが1枚1枚離れている
（例　アブラナ、エンドウ、サクラ）

▲サクラ

合弁花
花びらがくっついている
（例　アサガオ、タンポポ）

▲アサガオ

知ってる？理科のタネ　花が咲くのは虫のおかげ？

植物の花は、おしべとめしべが受粉することによってやがて種子をつくります。
この受粉のときに活躍するのが虫や風。花どうしが花粉を運ぶことはできないので、ミツを吸いに来た虫の足にくっついたり、風に飛ばされて別の花へとたどりつくのです。

▲花粉を運ぶハチ

No.2 **植物❷**
しくみがわかる

詳しく知りたい！

発芽には水・空気・適当な温度が必要

植物の命のはじまりと成長の過程

種子はどんなふうにできている？

植物は、種から芽が出て（発芽）成長します。いわば、植物の赤ちゃんにあたるものが種子です。その種子もつくりによって2種類に分かれます。

有胚乳種子	無胚乳種子
胚乳と呼ばれる栄養を含む部分がある	胚乳がない
例）イネ、ムギ、カキ、トウモロコシなど	例）エンドウ、インゲンマメ、ヒマワリ、アブラナ、アサガオなど

種子の中には、発芽した後に成長して根や茎、葉になる部分があります（この部分をまとめて「胚」といいます）。さらに、種子には成長するために必要な栄養が蓄えられています。発芽した後は自分で養分をつくることができるようになりますが、それまではこの栄養を使って育ちます。有胚乳種子では胚乳に、無胚乳種子では子葉と呼ばれる部分に栄養があります。

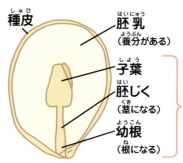

●有胚乳種子（カキ）
種皮／胚乳（養分がある）／子葉／胚じく（茎になる）／幼根（根になる）／胚

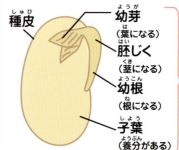

●無胚乳種子（インゲンマメ）
種皮／幼芽（葉になる）／胚じく（茎になる）／幼根（根になる）／子葉（養分がある）／胚

生命編

発芽に必要な条件って?

発芽には、必要となる3つの条件があります。

① 水　② 空気　③ 適当な温度

この3つがすべてそろってはじめて、植物は発芽します。

みなさんの家や学校で植物を育てるときには、日あたりを気にしたり肥料をやったりするでしょう。ですが、発芽させるためだけになら日光・肥料は必要ありません。

発芽の条件比較

植物の成長をうながすためには

発芽した植物を、よく育たせるためには何が必要になるでしょう。成長のためには、発芽の3条件に加えて、④日光 と ⑤肥料 が必要になります。

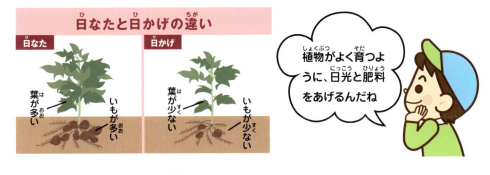

植物がよく育つように、日光と肥料をあげるんだね

わかる！ POINT

有胚乳種子 ……………… 胚乳がある
無胚乳種子 ……………… 胚乳がない

発芽に必要な3条件
　……………① 水　② 空気　③ 適当な温度

成長に必要な条件
　……………発芽の3条件 + ④日光 + ⑤肥料

113

No.3 植物の光合成 ❶

理科がもっと好きになる

確かめてみよう!

植物の光合成や呼吸が目で見える?

植物がほんとうに光合成をしているのか、確かめる方法を紹介しましょう。

植物の呼吸を確かめてみよう

植物が呼吸していることを、実験で調べてみよう!

注 実験をするときは、必ず先生やおうちの人と一緒にやりましょう

❶ 図のように道具をセットします。

ピンチコック

発芽しかけた大豆の種子

用意するもの
・ビニール袋
・試験管
・ガラスまたはプラスチックの細い管
・ゴムチューブ
・ピンチコック
・発芽しかけた大豆などの種子
・石灰水

❷ 空気の流れを止めているピンチコックを外します。

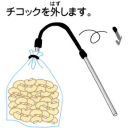

❸ 石灰水が白く濁れば、二酸化炭素が出てきた証拠です。

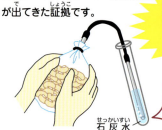

石灰水

植物の呼吸が目に見える!

種子が呼吸して、二酸化炭素が出てきたということです。

知ってる？ 理科のタネ

土の中の根も呼吸するの？

植物も呼吸をすることがわかりましたが、土に埋まっている根の部分でも呼吸をするのでしょうか？

答えは「呼吸をします」。植物は、葉だけでなく、枝や幹、根でも呼吸します。ふつう枝や根の先など、成長が活発な部分ほど呼吸の量が多くなります。

生命編

こうすれば確認できる光合成

植物の光合成の活動も、実験によって調べることができます。

これが植物の光合成!

用意するもの	
・アサガオ	・エタノール
・アルミはく	・ヨウ素液
・ペーパークリップ	・スポイト
・ビーカー（代わりになる容器）	
・ビーカーより大きなボウル	

❶ プランターなどで育てているアサガオの葉の一部に、アルミはくをかぶせます。

❹ エタノールを入れたビーカーを、70〜80℃のお湯の中に入れあたためます。そのビーカーに③の葉を入れます（これで葉の中の葉緑体が溶けます）。

❷ そのまま日光が十分にあたるように置きます。

❺ 葉を出して水洗いします。

❸ アルミはくをかぶせていた葉を取り、熱湯を入れたビーカーに入れます（葉をやわらかくするため）。

❻ 葉に、スポイトでヨウ素液をたらします。もしデンプンがあれば、色が青紫に変わります。

色が変わらない部分＝日光があたらず、光合成ができなかった
色が変わった部分＝日光を使って光合成が行われた
ということがわかるんじゃ

No.3 植物の光合成❷

しくみがわかる

詳しく知りたい！

植物から酸素が生み出される光合成
太陽の光から養分をつくりだすしくみ

植物は光合成で養分をつくる

植物は、自分の体の中で生きるために必要な養分をつくることができます。日光を使うそのしくみを光合成といいます。

植物は太陽の光を葉で受けて、葉緑体という器官で、デンプンなどの養分をつくり出しています。▲葉緑体

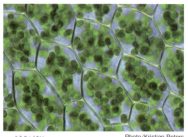

Photo/Kristian Peters

このとき必要な二酸化炭素を気孔という穴からとりこみ、光合成でできた酸素を逆に気孔から外へ出します。

植物も呼吸をしている？

植物は自分でつくり出した養分を、呼吸に使っています。

動物が呼吸をするように、植物も呼吸をします。呼吸と光合成では、使われるものとできるものがちょうど逆になっています。

植物も息をしているのね！

生命編

植物の体をめぐる気体

植物の体を通して、空気中の酸素や二酸化炭素が出入りしています。調べると、昼と夜で行われる活動が違い、出入りする気体も逆になっていることがわかります。

全体としては、
二酸化炭素をとり入れ
酸素を出す

酸素をとり入れ
二酸化炭素を出す

植物から水が放出される蒸散

蒸散とは、植物の葉の裏側にある気孔から、大気中へ水分が放出される現象のことです。

蒸散には、
❶ 根からの水の吸収を良くする
❷ 植物の体温が上がり過ぎないようにする
❸ 植物の体内にある水の量を調節する

といった目的があります。

蒸散にはこんな目的があるのね

わかる！POINT

光合成……植物が日光を使って養分をつくり出すしくみ。このとき二酸化炭素を取り込み、酸素を出す

呼吸……植物は夜になると呼吸をする（酸素を吸って、二酸化炭素を出す）

蒸散……葉の裏にある気孔から、水分を出すしくみ

117

No.4 季節の変化と生物❶

理科がもっと好きになる

ここからはじめよう!

動物たちの冬のひみつが明らかに!

寒い冬を動物たちが生きのびるため、それぞれの習性が役立っています。

越冬する動物たち

さまざまな動物の冬を紹介しよう!

冬の寒さとたたかう!

▲クマは冬ごもりするが、眠りが浅く体温の低下もわずか

▲ヤマネやコウモリなど、小型の恒温動物のなかには冬眠するものもいる
Photo/Michael Hanselmann

冬にそなえて変身!

Photo/H.Zell

▲ユキウサギは冬になると、白い冬毛に生えかわる。雪を掘って隠れ穴にしたり、下の草を食べたりする

Photo/でんぢろう

▲テントウムシは、石などの物かげで集団になって冬を越す

生命編

渡り鳥のひみつ

夏と冬を別の土地で過ごす渡り鳥たち。鳥たちは驚くほど長い距離を飛び、国から国へと移動します。

日本で春から夏にかけて巣づくりするツバメたちは、冬は遠く台湾やフィリピン、マレー半島、ジャワ島などに渡って過ごすんだよ

冬鳥は、寒い国から冬を過ごすためシベリアやオホーツク沿岸の地域から日本に渡ってきます。冬鳥のオオハクチョウは、体重が10kg以上もあるので、飛び立つために助走をつけます。

Photo/Andreas Trepte

オオハクチョウの分布図

繁殖地は、渡り鳥たちが夏の間、巣を作り卵を産み育てる地域です。
越冬地は繁殖地に比べてより南の地域で、渡り鳥は温暖で過ごしやすいところへと移動していきます。

■=繁殖地　■=越冬地　を表しています

知ってる？！理科のタネ　渡り鳥のコンパス

渡り鳥たちは、どうやって遠い目的地までたどり着くことができるのでしょう。研究の結果いくつかのしくみがわかっています。太陽と自分のいる位置を比較して方角を知る太陽コンパス、北極星などの星座を手がかりにする星コンパスが有名です。天気に左右されないよう、ひとつではなく色々な方法で渡りの方向を判断しているのです。

119

No.4 季節の変化と生物❷

しくみがわかる

詳しく知りたい！

動植物には冬を過ごす工夫がある！

動物たちはどうやって冬を越すの？

気温と動物の活動の関係

動物のなかには、体温を自分でコントロールできる仲間とできない仲間がいます。**変温動物**は、体温が周囲の気温と共に変化します。一方、**恒温動物**は、まわりの温度が変化しても体温がほぼ一定です。寒い季節でも、活動を続けることができます。人間も恒温動物にはいります。変温動物は、冬になって寒くなると体温が下がり、活動できなくなります。そのため暖かくなる春まで、**冬眠**して過ごします。

▲変温動物はカエルやヘビ、カメなど
Photo/Koba-chan

▲恒温動物はサル、ネズミ、ニワトリなど
Photo/Muramasa

寒い冬は、動かずに眠っているんだね

また、鳥の中には暖かい地域に移動して冬を越す種類がいます。季節によって南と北を行き来する、渡り鳥です。春、日本に渡ってきて子育てをし、秋になると南国に移動するツバメなどの**夏鳥**、逆に秋に日本に来て、春になると北の国へと帰っていくカモやツルのような**冬鳥**がいます。

Photo/Thermos

生命編

植物の冬越し

植物は光合成をして養分を得ているので、日光が弱く気温も低い冬には、ほとんど成長することができません。さまざまな形で冬を越し、次の春を待ちます。

- **種子**
  一年生の植物のほとんどは枯れて、種子を残します。

- **地下茎や根**
  地上に出ている葉などは枯れ、土に埋まった部分は生きています。
  例）ススキ、ダリア

- **ロゼット**
  葉が地表にはりついて、放射状に広がっています。
  例）タンポポ、アザミ

▶タンポポ

- **冬芽**
  葉は落ちますが芽をつけて、春になると葉・花に成長します。
  例）サクラ、ネコヤナギ

▲ネコヤナギ

植物のサイクル

葉や花が枯れた植物は、そこで生命が終わってしまったように見えますが、実はそうではありません。

植物には ① 葉が成長する ▶ ② 花が咲く ▶ ③ 種子ができ、子孫を残す

といった命のサイクルを1年で終える**一年生植物**と、サイクルをくり返す**多年生植物**があります。

わかる！POINT

- **変温動物**……気温と共に体温が下がる
- **恒温動物**……気温に関わらず体温が一定
- **一年生植物**……種子から枯れるまでのサイクルが1年以内
- **多年生植物**……枯れた後、種子からのサイクルを何年もくり返す

No.5 **人間の体のつくり①**

理科がもっと好きになる

ここからはじめよう！

人の体の内部を探検しよう！

私たちの体の中は、骨・筋肉・血管のはたらきが支えています。

体の中のひみつを見てみよう

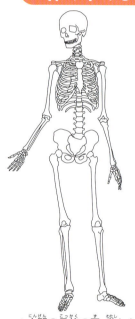

▲人間の骨格の図。私たちの体は、こんなにたくさんの骨からできている

すみずみまで筋肉でおおわれている！

▶人の頭部の筋肉のようす。目のまわりや口もとなど、いたるところに筋肉をはりめぐらせているのがわかる

前頭筋
しゅうび筋
眼輪筋
大頬骨筋
小頬骨筋
頬筋
笑筋
こう筋
口角下制筋
口輪筋

心臓の手術は心臓を停止させて血液の流れを止めるため、ポンプによって全身へ血液を送るのじゃ。体がダメージを受けるので、短時間しか使用することができないぞ

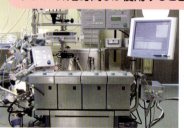

Photo/Jörg Schulze

◀手術に使われる人工心肺装置。これは心臓の手術を行うときに、一時的に心臓と肺のかわりをする機械

知ってる？！理科のタネ

戦うヒーロー・白血球

血液に含まれる白血球という細胞は、名前の通り白い色をしています。リンパ球など、大きさや形でさらにいくつかの種類に分かれますが、白血球の仕事は細菌やウイルスから体を守ること。白血球は細菌などを飲み込んで退治する、正義の味方なのです。

生命編

人間の動きは優れている

世界中の研究者たちが人間の体の動きをつぶさに調べ、機械やロボットによって再現しようとしていますが、いまだにそれは完全ではありません。

そのくらい人間の体の動作というのは、細かくなめらかで複雑なんじゃ

めざせ！
人間のような
なめらかな
動き

Photo/Gnsin

▲これは二足歩行ロボットとして有名な、ホンダが開発したASIMOです。人の動きを感知して行動することが可能（例えば、手を差し出すと握手をするなど）。しかし、仰向けに転んだ場合に自分で起き上がることができないなど、弱点もある

▲宇宙で活躍するロボットアーム。宇宙飛行士が船外で活動するのを助け、機械の交換、組み立てなどの細かい作業をすることができる。操作は宇宙飛行士が行っている

最近では、相手の手の動きを一瞬で解析して、絶対に負けない最強のじゃんけんロボットも登場しています

◀じゃんけんの動きをするロボット

知ってる？理科のタネ 脈をはかるのはどうして？

病院に行ったとき、医師が脈はくをはかっているのを見たことはありませんか？手首の動脈の部分にさわると、ぴくぴくと血管が脈うっているのがわかります。これは、心臓の動きが動脈に伝わるため。ですから1分間に打つ脈の数は、1分間に心臓が打つ数と同じ。脈はくをはかるのは、心臓がうまくはたらいているかどうか調べるためなのです。

123

No.5 人間の体のつくり❷

しくみがわかる

すぐれた機能が体を支える
体を形づくる骨や筋肉、血液

詳しく知りたい！

骨と筋肉のしくみ

私たちの体のなかには、骨と筋肉があります。骨は、おとなの体で大小約200個もあり、それぞれに名前がついています。もっとも大きい骨は、大腿骨（足のつけね、股から膝までの骨）。もっとも小さい骨は、耳の耳小骨といわれる骨の中の、あぶみ骨です。長さが約3mmほどです。頭がい骨、ろっ骨、背骨、骨盤など、どの骨も私たちの体を形づくる大切な役割をしています。

関節は肘や膝のように骨と骨のつなぎ目にあたる部分で、曲げたり伸ばしたりできます。これは、関節の表面が弾力のある軟骨になっているため。それでなめらかに体を動かすことができるというわけです。

筋肉は、頭から足先まで体じゅうに骨をおおう形でついています。例えば、腕の2本の骨に対して、関節をまたいで1対の筋肉がついています。腕が伸びるときは筋肉AがゆるみBが縮む、逆に曲がるときは筋肉Aが縮んでBがゆるむ、といった具合に、体を動かすはたらきをします。

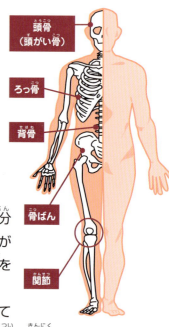

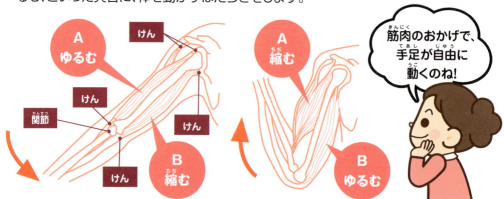

筋肉のおかげで、手足が自由に動くのね！

124

生命編

心臓と血液のはたらき

体のはたらきの中心である大切な心臓。心臓は、血液を送り出すポンプの役目をします。

血液は、心臓から動脈、体じゅうの毛細血管へと流れ、静脈からまた心臓へと戻ってきます。

毛細血管は、動脈と静脈をつないでいて、体のすみずみまで走っています。その名前のとおりたいへん細かく、壁が薄い血管です。

動脈……心臓から流れ出た血液が通る血管

静脈……心臓へと戻る血液が通る血管

血液が循環するようす

血液は体じゅうを流れるあいだに、重要なはたらきをします。肺では、酸素を受け取り、二酸化炭素を捨てていきます。小腸で栄養分を受け取ると、体の各部分に酸素と栄養分を渡します。そして、かわりに二酸化炭素と不要物を受け取ります。この不要物は腎臓で余分な水分と一緒に捨てられます。

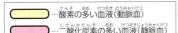
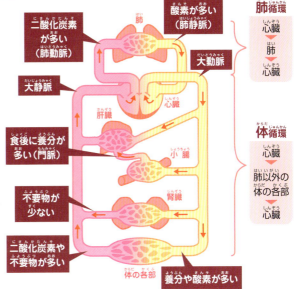

わかる！POINT

骨………体を支えて形づくる

筋肉……骨をおおうようについている。縮むことで体の動きを生み出す

関節……骨と骨のつなぎ目

心臓……血液を送り出すポンプの役目をする

血液……体を流れる間に、酸素や二酸化炭素、養分や不要物の受け渡しをする

No.6 体のはたらき❶

理科がもっと好きになる

ここからはじめよう！

かくれた内臓のはたらきを知る！

肺やじん臓など、私たちの内臓は眠っている間も動き続けています。

体で不要になったものは？

栄養分であるタンパク質は主に体をつくるために使われますが、エネルギーを取り出すときに有害なアンモニアができてきます。

そこで、アンモニアを体の外に出すために肝臓と腎臓が活躍するのじゃ

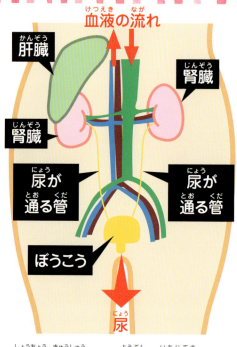

血液の流れ / 肝臓 / 腎臓 / 腎臓 / 尿が通る管 / 尿が通る管 / ぼうこう / 尿

肝臓では、アンモニアを害の少ない尿素という物質に変えます。それから腎臓では、尿素をろ過して、体の中で余分になった水と一緒に尿として排出されていきます。

肝臓は、アンモニアを尿素に変えるほかに、小腸で吸収された養分を一時的にためておいたり、胆汁（脂肪を消化する消化液）をつくる、アルコールなど体に害のあるものを壊すといったはたらきをします。

知ってる？！理科のタネ　汗と尿は同じもの？

汗には尿と同じように不要物を外に出す役目もありますが、暑いときに汗をかくことによって体温を下げるはたらきが主です。水やミネラル、尿素などで構成されています。尿と成分がほとんど同じですが、濃さは尿よりもずいぶん薄いものです。ですから、まったく同じものではないでしょう。

生命編

呼吸する肺のしくみ

肺に入った空気は、気管支→肺胞へとつながっています。肺は、おびただしい数の肺胞が集まってできています。

それぞれの肺胞を、毛細血管が網のようにとりまき、効率よく酸素と二酸化炭素の交換を行えるようになっているのじゃ

毛細血管の壁も肺胞の膜も薄いので、酸素などの出入りがしやすいぞ！

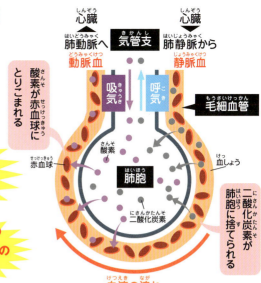

ほかの動物の肺

人間の肺を、カエルやカメなどほかの動物と比べてみましょう。また、鳥の仲間はまったく違う肺をしています。図の動物の肺では、吸う息と吐く息が混じり効率が悪くなりますが、鳥の肺では酸素などの気体の流れが一方通行で、より効率が良いのです。

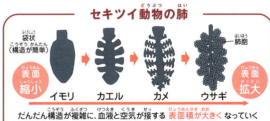

人工呼吸器

手術の際や、自分で呼吸ができなくなった患者のために、人工呼吸器というものがあります。機械で、気体を肺に送り込むものです。

また、事故などのときまわりにいた人が人工呼吸を行って、患者の呼吸を助けることもあるぞ

No.6 体のはたらき❷

しくみがわかる

生きるために必要な呼吸と消化
私たちのいのちを支える活動

詳しく知りたい！

肺での呼吸

吸う息の流れ
鼻と口→気管→肺へと移動します。

吐く息の流れ
吸う息と逆の向きに移動します。この息の中には、空気よりも酸素が少なく、二酸化炭素が多く含まれています。

息を吸う、吐くという動きが繰り返されることで、血液中の二酸化炭素が空気中に出され、空気中の酸素が血液の中へと取りこまれます。

肺には筋肉がないので、自分で動くことができません。ろっ骨と横隔膜のはたらきにより空気を出し入れしています。

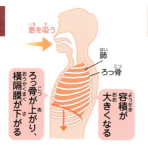

息を吸う
ろっ骨が上がり、横隔膜が下がる
→肺の容積が大きくなる

息を吐く
ろっ骨が下がり、横隔膜が上がる
→肺の容積が小さくなる

体の各部分での呼吸

私たちの体の各部で、養分と酸素からエネルギーを取り出し、生きるための活動が行われています。

養分＋酸素（血液で運ばれる）→ 二酸化炭素＋水（血液で運ばれる）
→ エネルギー

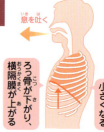

息を吸うあいだに、酸素が運ばれているんだ〜

生命編

栄養を消化するしくみ

私たちの体の中では、食べ物を栄養に変えて取りこむための消化の活動が行われています。食べた物はそのままでは吸収できないので、デンプン・タンパク質・脂肪などの養分に変えられています。

口→食道→胃→小腸→大腸→こう門とつながっている管のことを消化管といいます。

口から入った食べ物は、次のように送られていきます。

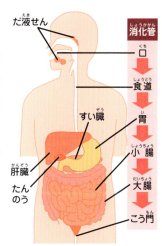

❶消化液のはたらきで消化される ▶ ❷養分が小腸で吸収される ▶ ❸残りがこう門から外へ捨てられる

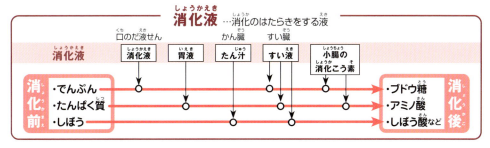

水分・養分の吸収

消化のあと、デンプンなどの養分は水分と一緒に小腸で吸収されます。吸収された養分は、血液にのって全身へと運ばれていきます。

小腸では、養分をたくさん取りこめるように、内側におびただしいひだがあります。さらにひだにはじゅう毛がびっしり出ていて、表面の面積を広くし、より多くの養分を吸収できるようにしているのです。

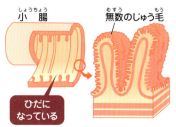

わかる！POINT

呼吸……息を吸うときに、空気の中の酸素を取りこみ、吐くときに二酸化炭素を出すこと。
呼吸はろっ骨と横隔膜の動きで行われる

消化……食べ物を消化液によって養分に変えること

吸収……養分は小腸で吸収される

129

No.7 食物連鎖❶

理科がもっと好きになる

ここからはじめよう！

生物はみんなつながって生きている！

人間も含め、生物はお互いに栄養となって支え合っていることがわかります。

栄養となって支え合う

生き物はみんな食べることでつながっているぞ！
巨大な動物から、ミクロの生物まで見てみよう

Photo/Alan D. Wilson

▲陸にすむ最大の肉食動物は、ホッキョクグマだといわれている。冬になり海が凍ると北へ移動して、えさであるアザラシを狩る。夏の間は、体に蓄えた脂肪を消費して過ごす

◀陸の最大の動物は、ゾウの仲間。草食動物で、大人のゾウだと1日に200〜300kgもの草などを食べる。ライオンの群れに襲われたり、子供のゾウがトラに食べられることがある

Photo/nickandmel2006

生命編

◀海にすむ最大の肉食動物はシャチ。魚やアザラシなどの海に住むほにゅう類を食べて生きる。鋭い歯で獲物をかみちぎるが、人間を襲うことはほとんどない

Photo/spenser77

Photo/Uwe Kils

▲生物ピラミッドの下層に位置する動物プランクトン。代表的な小型甲殻類のカイアシ類。植物プランクトンを食べる

◀動物プランクトンのミジンコ。体長はわずか1～3mm。主に細菌や植物プランクトンをえさとして食べる。反対に、ミジンコは魚のえさになる

Photo/Paul Hebert

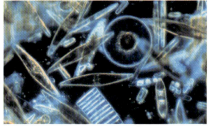

▶植物プランクトンの仲間、珪藻類

Photo/Tomomarusan

▲樹液を吸うツクツクボウシがカマキリに食べられる、食物連鎖の一例

Photo/Whit Welles

▲肉食動物は草食動物をつかまえてえさとする。そして食べることで、自分の生命を維持している

131

No.7 食物連鎖❷

しくみがわかる

詳しく知りたい！

食物連鎖のつながり

生命は食べることで保たれる

動物と植物は違う？

　動物も植物も、同じ生物で養分を取らなくては生きていけません。しかし、養分の取り方は大きく異なります。植物は光合成をして、自分で養分をつくり出すことができます。動物は自分で養分をつくることができないので、ほかの生き物を食べて生きていきます。動物が食べ物を求めることも、植物が日光を求めることも、どちらも養分を得ようとするための活動なのです。

食べる・食べられるというつながり

❶落ち葉を **ミミズ**が食べる ▶ ❷そのミミズを **カエル**が食べる ▶ ❸そのカエルを **ヘビ**が食べる

　…といったふうに、生物どうしは、食べる（捕食者）・食べられる（被食者）という関係でつながっています。このつながりを、**食物連鎖**といいます。食物連鎖のもとをたどると、養分をつくり出す生物である植物（生産者）に行きつきます。

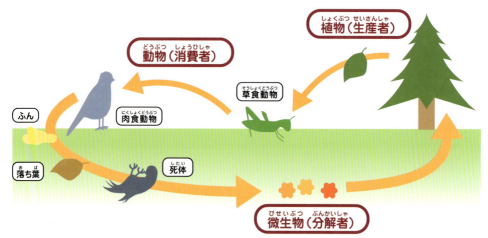

生命編

　動物は、植物を食べる草食動物（ミミズ、バッタ、ウサギ、ウシ、ウマなど）とほかの動物を食べる肉食動物（カマキリ、カエル、ヘビ、ワシなど）に分かれます。
　食物連鎖は、生物の数量と関係しています。食物連鎖のもとの方（植物に近い）の生き物ほど、数が多い傾向にあります。もしこのバランスが逆だったら、食物連鎖の終わりに近い方の生物は食べ物が足りなくなり、生きていけなくなってしまいます。この数量のバランスはつり合いが保たれていて、食物連鎖のなかにある生物で、ある特定のものだけが限りなく増えることはありません。もし増えすぎた場合、その動物のえさになる生き物が減り、反対にその動物を食べる天敵が増えるからです。

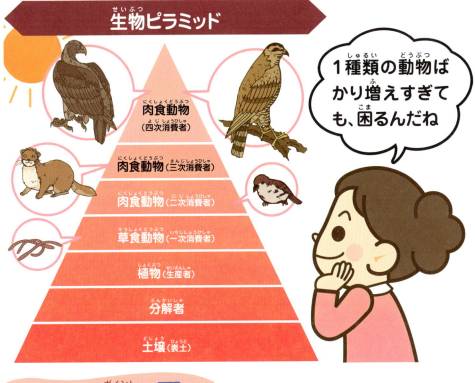

わかる！POINT

- **食物連鎖**……生物の食べる・食べられるというつながり
- **草食動物**……植物をえさにする動物
- **肉食動物**……ほかの動物をえさにする動物
- **生物の数量のバランス**……食物連鎖は、生物の数量とつり合いが保たれている

No.8 せきつい動物と無せきつい動物①

理科がもっと好きになる ここからはじめよう!

人間と動物たちの生命の誕生!

動物たちと人間の子育てを比べてみましょう。

人間の赤ちゃんが生まれるまで

赤ちゃんは、母親の子宮の中である程度まで成長してから生まれてきます。これは、ほかのほにゅう類の動物も同じです。

そして、じゅうぶんに大きくなった赤ちゃんは、約38週目に生まれ出てくるんじゃよ

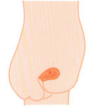
4週 心臓が動き始める

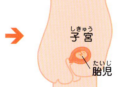
子宮 胎児
8週 手や足の形がわかる

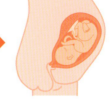
24週 体を回転させて、よく動く

38週 生まれる直前

子宮の中にいる胎児

おなかにいるときの胎児(赤ちゃん)は、胎盤とへそのおで母親の体とつながっています。そこから成長するために必要な栄養や酸素を受け取り、不要になったものをわたしています。

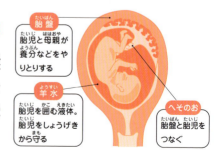

胎盤 — 胎児と母親が養分などをやりとりする
羊水 — 胎児を囲む液体。胎児をしょうげきから守る
へそのお — 胎盤と胎児をつなぐ

知ってる?! 理科のタネ
赤ちゃんは音を聞いている?

お母さんのおなかにいるとき、赤ちゃんにはお母さんの声が聞こえているんでしょうか?8週目ごろには、赤ちゃんの耳の原型ができてきます。そして、20週ごろにはお母さんの心臓の音や、血液の流れる音が聞こえるようになります。さらに28週を過ぎると、外の音が聞こえるまで聴力が発達。お母さんの話しかける声が、ちゃんと聞こえるようになります。

生命編

動物たちの誕生のようす

人間以外の動物たちは、どんなふうに子供を産み育てていくのでしょうか。

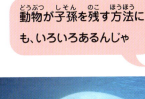
動物が子孫を残す方法にも、いろいろあるんじゃ

▲ほにゅう類の仲間であるウシ。子ウシは、母親であるウシのお乳を飲んで育つ

▲海の中にすむマナティもほにゅう類の仲間。水中で母親のお乳を飲むようす

Photo/Nachoman-au

Photo/Salimfadhley

▲カモノハシやハリモグラはほにゅう類の中で、卵を産んで育てる特殊な仲間

▲両生類のカエルは、水中で産卵する。卵はやがてオタマジャクシになり、カエルへと姿を変える

Photo/Dbush

◀鳥類のペンギンは、父親と母親が交代で卵をあたためる。なかでもコウテイペンギンは、マイナス数十度の冬の南極で繁殖するので、「世界でもっとも過酷な子育てをする鳥」と言われる

動物たちの子育ても、親の愛情でいっぱいじゃなあ

135

No.8 せきつい動物と無せきつい動物❷
しくみがわかる

体のしくみによって動物を分類する
色々な動物の共通点と相違点

詳しく知りたい！

せきつい動物ってどんなもの？

　たくさんの動物をおおまかに分類する方法に、せきつい動物・無せきつい動物の仲間に分けるやりかたがあります。

　せきつい動物とは、私たち人間のように、背骨（せきつい）をもっている動物の仲間をいいます。ほかに、犬やトリ、カメ、カエル、メダカなどもせきつい動物に入ります。せきつい動物は、たくさんの動物のなかでわずか5％ほどしか存在しません。

　無せきつい動物は、せきついのない動物たちを指します。例えばバッタやチョウ、アサリ、ミミズといった動物があげられます。

せきつい動物の特徴

① 数多くの骨がつながったせきつい（背骨）を持つ
② 中枢神経（脳とせきずい）を持っており、骨に守られている
③ 赤血球中にヘモグロビンを含む血液が流れている（一部の魚に例外あり。ヘモグロビンは、酸素と結びついて、肺から全身へ酸素を運ぶ）
④ 大型の種族が多い

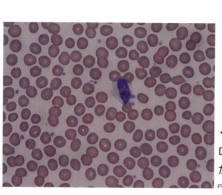

◀赤血球の中に、ヘモグロビンというたんぱく質が含まれている
Photo/Bobjgalindo

背骨があるかどうかが、大切なんだね！

生命編

せきつい動物の分類

せきつい動物は、体の特徴や呼吸のしかた、子供をどのように産むかによって、「ほにゅう類・鳥類・はちゅう類・両生類・魚類」の5種類に分けることができます。

	ふえ方		生活場所	呼吸	体温	例
ほにゅう類	胎生				恒温動物	イルカ ネコ
鳥類	卵生	からのある卵を陸上に産む	陸上	肺呼吸		ハト ペンギン
はちゅう類					変温動物	カメ トカゲ
両性類		からのない卵を水中に産む	子…水中 親…水辺	子…エラ呼吸 親…肺呼吸とヒフ呼吸		カエル イモリ
魚類			水中	エラ呼吸		フナ サメ

わかる！POINT

せきつい動物……人間のように、体に背骨を持つ動物の仲間

ほにゅう類………子供をお腹の中で育ててから産む

鳥類………………卵を陸に産む。鳥の仲間

はちゅう類………卵を陸に産む。カメやトカゲなど

両生類……………卵を水中に産む。カエルなどの仲間

魚類………………水中で生活し、産卵する

無せきつい動物…背骨を持たない。せきつい動物以外の仲間

137

Column

最年少気象予報士は11歳

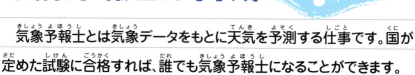

　気象予報士とは気象データをもとに天気を予測する仕事です。国が定めた試験に合格すれば、誰でも気象予報士になることができます。

　ですが、その試験は簡単ではありません。天気に関する専門知識、さまざまなデータを解析し理解するための数学や理科のセンス、そして、マークシート式の学科試験のほかに、出された問題に対して文章で答える実技試験も行われます。

　多くの人があこがれる気象予報士試験の合格ですが、最年少で合格した記録はなんと11歳11カ月の小学生です（試験当時）。天気予報に興味を持ち、気象予報士の試験に挑戦したのは4回目で、小学生の合格は初ということです。

　天気予報のおもしろさを知って、今から勉強すれば、最年少記録を更新するのも夢じゃない…？

明日の天気は雨になるでしょう…

博士の予想は当らないなあ

宇宙旅行に出かけませんか？

　みなさんは、宇宙を旅することができるのは、選ばれた宇宙飛行士の人たちだけだと思っていませんか？

　実は、そうではありません。一般の人でも宇宙旅行に出かけることが、すでに可能になっています。宇宙旅行の第1号は、アメリカの大富豪デニス・チトー氏。チトー氏は国際宇宙ステーションに物資などを補給する宇宙船ソユーズに乗って、約8日間をステーションで過ごしました。これまでに7人の民間人が宇宙旅行を体験しています。

　宇宙旅行を体験した人たちはみんな、宇宙から地球をながめて、国や人種を越えた「地球人」としての気持ちが芽生えたといいます。

　5年後10年後には、さらに宇宙旅行が身近なものになっているかもしれませんね。

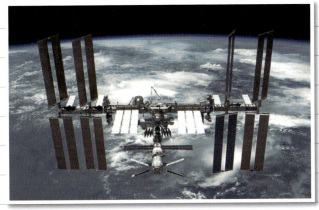

◀国際宇宙ステーション

▲デニス・チトー氏

さくいん

あ
圧縮（あっしゅく） …………… 90

アメダス（AMeDAS） …… 22

アルカリ性（せい） ………… 98

い
一年生植物（いちねんせいしょくぶつ） …………… 121

う
運搬（うんぱん） ………………… 40

え
永久磁石（えいきゅうじしゃく） ………… 72

液体（えきたい） ……………… 97

塩酸（えんさん） ……………… 98

炎心（えんしん） ……………… 105

お
おしべ …………………… 110

オゾン層（そう） ………… 54

重さ（おも） ……………… 88

か
外炎（がいえん） ………………… 105

可視光線（かしこうせん） …………… 60

化石（かせき） ……………… 43

か
関節（かんせつ） ………………… 124

完全花（かんぜんか） ………… 110

完全変態（かんぜんへんたい） ………… 108

肝臓（かんぞう） ……………… 126

かん電池（でんち） ……………… 74

き
気圧（きあつ） ………………… 20

気温（きおん） ……………… 8

気象衛星（きしょうえいせい） ………… 23

気体（きたい） ……………… 13

吸収（きゅうしゅう） ……………… 129

筋肉（きんにく） ……………… 122

く
屈折角（くっせつかく） ………… 61

雲（くも） ………………… 15・16

クモ類（るい） ………… 109

け
血液（けつえき） ……………… 125

月食（げっしょく） ……………… 27

結露（けつろ） ……………… 13

140